Le Maghreb de Gilles Proulx

Catalogage avant publication de Bibliothèque et Archives nationales du Québec et Bibliothèque et Archives Canada

Proulx, Gilles, 1940-

Le Maghreb de Gilles Proulx : Tunisie, Algérie, Maroc, Mauritanie et Libye

(Les calepins des aventuriers)

ISBN 978-2-923382-81-4

1. Proulx, Gilles, 1940- - Voyages - Afrique du Nord. 2. Afrique du Nord - Descriptions et voyages. 3. Maghrébins - Mœurs et coutumes - 20e siècle. I. Ross, Janine, 1954- . II. Titre. III. Collection: Calepins des aventuriers.

DT190.2.P76 2011 916.104'4 C2011-941762-6

Remerciements

À Janine Ross, qui a mis nombre d'heures et de jours à m'écouter et à retranscrire mes souvenirs, telle une patiente bénédictine.

Bertrand Dumont éditeur inc.
C.P. nº 62, Boucherville
(Québec) J4B 5E6
Tél. : 450 645-1985. Téléc. : 450 645-1912.
(*www.dumont-editeur.com*)
(*www.calepins-aventuriers.com*)

Éditeur : Bertrand Dumont

Révision : Raymond Deland

Conception de la mise en pages : Norman Dupuis

Infographie : Horti Média

Calibrage des photos : Langis Clavet

Illustrations : Sébastien Gagnon

Photos : Gilles Proulx, sauf indication contraire

Photo de la page couverture : Normand Guérette

Dépôt légal – Bibliothèque et Archives nationales du Québec, 2011

Bibliothèque et Archives Canada, 2011

ISBN 978-2-923382-81-4

Imprimé au Canada sur papier 100 % recyclé

L'éditeur remercie :

- la Société de développement des entreprises culturelles (SODEC) du Québec pour son programme d'aide à l'édition et à la promotion ;
- Gouvernement du Québec – Programme de crédit d'impôt pour l'édition de livres – gestion SODEC.

Société de développement des entreprises culturelles
Québec

Nous reconnaissons l'aide financière du gouvernement du Canada par l'entremise du Programme d'aide au développement de l'industrie de l'édition (PADIÉ) pour nos activités d'édition.

Patrimoine canadien Canadian Heritage

Les calepins des aventuriers

Récit de voyage

Le Maghreb de Gilles Proulx

Tunisie, Algérie, Maroc, Mauritanie et Libye

Gilles Proulx

Propos recueillis par Janine Ross

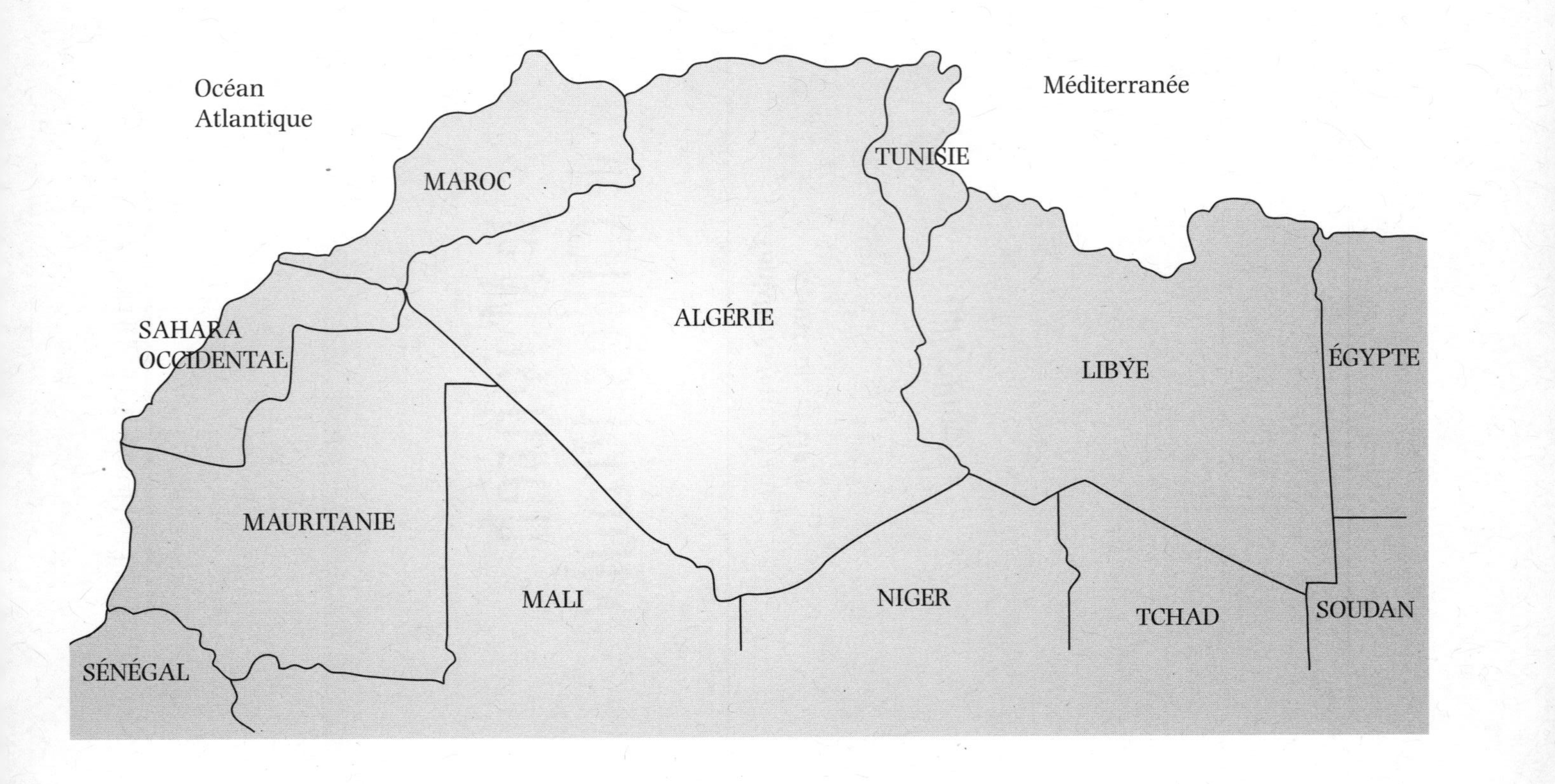
Océan
Atlantique
Méditerranée
MAROC
TUNISIE
ALGÉRIE
SAHARA
OCCIDENTAL
LIBYE
ÉGYPTE
MAURITANIE
MALI
NIGER
TCHAD
SOUDAN
SÉNÉGAL

Table des matières

Avant-propos

Les deux plus belles choses dans ma vie

VOYAGER DE PAR LE MONDE ! Pour le petit gars de Verdun que je suis, c'était une réalité que je ne pouvais pas envisager. Mes premières images des pays lointains sont celles projetées au cinéma Savoy de la rue Wellington, lorsque la porte latérale était entrouverte à cause de la chaleur à l'intérieur. Nous nous faufilions pour voir des bouts de films tournés nous ne savions où. Puis il y eut les films du canal 2 de *Radio-Canada* qui m'initièrent à la culture française.

Jeune, mon univers se résumait à une guerre de territoire entre les Anglos et les Francos. Un jour, me prenant pour Pierre Le Moyne d'Iberville, je pris la tête d'une quinzaine de compagnons des rues Rielle, Gordon et Willibrord pour organiser une riposte contre nos vis-à-vis anglophones. Le problème, c'est que les « Highway Snakes » étaient une centaine ! Je proposai donc, vu la loi du nombre, de les piéger par petits groupes afin de régler leur cas à coups de poing sur la gueule. Voilà qui ressemblait aux embuscades au temps de la colonie de la Nouvelle-France. Un soir, carrément encerclé par la bande des Anglais, mon groupe m'encouragea à donner l'exemple en m'en prenant à leur chef. Ce fut une belle bataille qui se termina par une bonne poignée de main. Et, toujours comme au temps de la colonie, il m'offrit sa blonde. C'est ainsi que Jackie Robinson tomba follement amoureuse de moi. Elle m'initia à la langue anglaise, même si son père, une « tête carrée », ne voulait rien savoir du *French Frog* qui collait constamment ses lèvres sur celles de sa belle fille de quinze ans. Voilà comment se signaient les traités de paix en cette année 1955.

Puis, tout en faisant vagabonder mes mains d'une hanche à l'autre, le temps passa. À vingt et un ans, la rencontre heureuse avec José Ledoux de *CKVL* me fit quitter le chemin des ruelles pour celui de la communication.

À mes débuts à la radio, et après quelques voyages aux États-Unis et en Europe au milieu des années soixante, je découvre le travail du journaliste Pierre Nadeau. Sans qu'il le sache, le célèbre reporter devient mon modèle. Dans son émission «*Le 60*», je le voyais arriver avec ses reportages de tous les coins de la planète. Je l'enviais et je me disais: «Je veux faire ça, moi aussi.»

J'étais alors au milieu de la vingtaine et tout restait à découvrir! Voilà, ma première étincelle.

Comme je travaillais pour une radio privée qui n'avait pas de budget pour m'envoyer à l'étranger, j'avais sollicité l'armée, les Nations Unies et, un peu plus tard des offices de tourisme, à la recherche de moyens peu coûteux pour couvrir la planète.

Pourtant, ce qui a véritablement allumé le détonateur, ma deuxième étincelle, celle qui m'a donné le goût de parcourir les routes du monde, c'est un voyage que je n'avais pas prévu.

En 1969, alors en stage à Paris, une consœur me présente à une belle Acadienne. Je fais la connaissance de Marie-Claire. Quelque temps plus tard, à quelques jours de Noël, c'est à bord du train que nous partons à destination de Rome. De là, sur un coup de tête, dont seul le destin a le secret, nous prenons la direction de l'Afrique du Nord. Nous passerons finalement la période des fêtes de Noël en Tunisie, en Algérie, et enfin au Maroc. Ce sera un choc. Le Maghreb et l'Occident se révèlent deux mondes tellement différents l'un de l'autre.

Cette première aventure au Maghreb sera ma véritable initiation, mon baptême du voyage. Depuis, j'en ai fait plus d'une centaine. J'ai traversé des milliers de villes, de sites archéologiques, de paysages. J'ai croisé des millions de visages. On m'a parfois comparé à Tintin, à Bob Morane… Un jour, on découvrira peut-être que j'ai des gènes en commun avec Indiana Jones! Toujours est-il qu'un journaliste de *La Presse*, Réjean Boudreau, s'est penché sur mon cas. Il a calculé le temps que j'ai passé à l'étranger. À ce jour, j'aurais voyagé pendant dix ans ! Je n'en reviens pas !

Cette première expédition dans le Maghreb marquera aussi ma vie d'une autre façon. Là, je me suis laissé imprégner de sa musique lancinante et ensorcelante. Lors de mes ratissages en auto, j'écoutais la radio. La richesse des voix des lectrices de nouvelles m'enivrait. Comme quoi, toutes les langues de la Terre sont belles lorsque l'articulation est évidente. Cette musicalité maghrébine, tant vocale qu'instrumentale, a aiguisé ma sensibilité.

Un jour, au restaurant de l'hippodrome de Montréal, une artiste illumine la scène ; une jeune femme dont le chant m'ensorcelle. J'en vibre. Je demande à la rencontrer et je tombe sous le charme.

Bianca Ortolano : voilà son nom ! Cette femme magnifique jouit d'une voix qui n'a rien à envier aux plus grandes de la chanson. Elle sera ma princesse des Mille et une Nuits !

J'ai amené Bianca à Rome. En sa compagnie, cette ville mythique serait-elle le départ d'un autre type d'aventure pour moi ? Tout l'émerveille ! Elle est sensible à la beauté, à l'histoire. Sa curiosité pétillante me fait voir sous un autre jour, ce que je connais déjà. En Italie, à Saint-Pierre de Rome, Bianca se met à genoux pour se recueillir et prier. Cette piété, si rarissime chez les jeunes. Son éducation italienne y est pour quelque chose. Je trouve ça très beau.

Quand elle dit avec toute sa douceur :

– « *J'aimerais que nous fassions un détour à Bracciano. C'est de là que vient ma famille, mes parents…* »

Je n'hésite pas une seule seconde et nous nous rendons dans cette petite ville du Latinium. Le château Orsini-Odescalchi, entouré de montagnes majestueuses, domine la ville, le magnifique lac et les restaurants sur pilotis. Nous voilà dans sa famille. Immédiatement son oncle, le frère de son père, lui tend les bras. Jamais, ils ne s'étaient rencontrés auparavant. L'émotion est à son comble. Tout le monde pleure. Les liens du sang s'expriment ! Encore une fois, dans un déplacement par-delà les frontières, je retrouve l'authenticité des rapports humains.

Quand j'y pense, le Maghreb m'aura apporté les deux des plus belles choses de ma vie. Le voyage pour apprendre, découvrir et comprendre le monde, et Bianca, un être rempli de sincérité, qui s'émerveille et dont la pureté me fait chavirer.

Tunisie

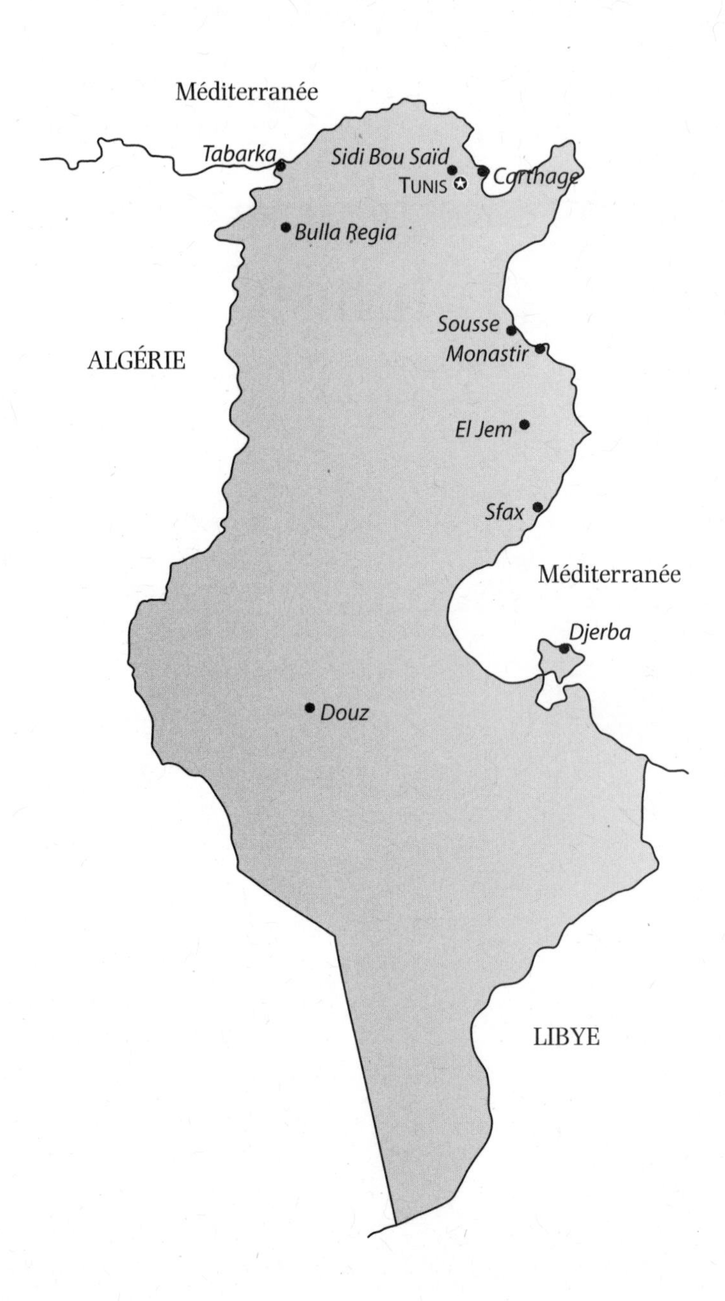
Méditerranée
Tabarka
Sidi Bou Saïd
Carthage
TUNIS
Bulla Regia
Sousse
Monastir
ALGÉRIE
El Jem
Sfax
Méditerranée
Djerba
Douz
LIBYE

Tunisie

La découverte de la culture berbère

En 1969, en Tunisie, pour la première fois, je mets les pieds sur le continent africain. Ce contact initial me ramène à des souvenirs de jeunesse, à l'époque où j'ai dix-sept ou dix-huit ans. Je suis alors un jeune rocker, apolitique et pas très féru de géographie. Grâce aux bulletins de nouvelles, je sais au moins que la Tunisie a obtenu son indépendance en 1956. Je me souviens aussi qu'on avait comparé son président, Habib Ben Ali Bourguiba, à Charles de Gaulle, le président français. Bourguiba, le « de Gaulle » de l'Afrique du Nord, c'était un peu exagéré !

À l'époque, j'imaginais que les Africains, du nord, du centre ou du sud, étaient tous noirs. Je me rendrai vite à l'évidence sur le fait que l'Afrique du Nord est en fait plus blanche, plus sarrasin qu'on ne le pense généralement. Pour différencier ses habitants de ceux de l'Afrique noire, on appelle souvent les Arabes, les Sarrasins. Leur peau a la couleur de cette céréale que l'on consomme en galette.

Dans les années 1957-1958, j'avais davantage entendu parler de l'Algérie que de la Tunisie. Mon cerveau d'adolescent avait retenu quelques informations glanées aux téléjournaux. Je me souvenais de soldats de l'armée française, habillés à l'américaine. Ces jeunes militaires démunis, au lendemain de l'occupation allemande, avaient reçu beaucoup d'équipements de leurs alliés américains. Ces images me fascinaient. Pourquoi l'armée française était-elle présente dans ce pays ? Je ne comprenais pas toutes les imbrications de l'histoire. Des bulletins de nouvelles sur l'Algérie, la Tunisie et le Maroc mentionnaient les mots indépendance, affranchissement, régime sous tutelle, protectorat… Voilà ce que je connaissais de l'Afrique et du Maghreb. Rien de plus.

⁂

En 1969, je travaille déjà à la radio et j'ai la chance de bénéficier d'un programme d'échange entre la France et le Québec. Je suis envoyé à *Radio Luxembourg*, très populaire en France, pour un stage d'un an afin d'approfondir mes connaissances sur la structure radiophonique, la France, et bien d'autres sujets…

C'est donc à Paris que je rencontre une belle Acadienne, Marie-Claire. Elle étudie en sciences politiques à Aix-en-Provence. Rapidement, je me lie à elle. Je viens à peine de me relever d'un knock-out sentimental ; ma femme venait de me quitter. Je suis encore sous le coup de l'émotion. Marie-Claire me semble une fille fort intéressante. Mais je vois peut-être trop loin ?

À la veille des vacances de Noël, elle me téléphone d'Aix-en-Provence. Nous sommes en congé, nous avons tous les deux quelques semaines devant nous. Elle me demande si j'aimerais voyager avec elle. Saisissant l'occasion de passer du temps en sa compagnie, j'accepte sa proposition. Nous choisissons d'aller à Rome. D'Aix-en-Provence, nous sautons dans le train pour nous imprégner de l'atmosphère qui entoure les fêtes de la Nativité. Noël, c'est la grande fête, le summum de la chrétienté. Célébrer Noël dans la capitale italienne se révèle un moment unique. Place Saint-Pierre, je me familiarise avec tout ce qui m'entoure, l'histoire de l'Antiquité romaine, les musées, etc.

Je me recueille sur le tombeau de Saint-Pierre. Mes interrogations sur l'au-delà et l'après ressurgissent. C'est plus fort que moi. Ici tous les signes et l'essence de cette grande culture religieuse sont réunis. Ce lieu m'incite à un questionnement sur ma foi.

⁂

J'ai toujours été une personne croyante. Par contre, j'ai souvent remis en cause ma fidélité à l'égard de l'Église catholique, surtout celle du Québec. En 1837, elle a condamné les Patriotes qui avaient lutté pour s'affranchir du Haut-Canada et qui voulaient faire du Bas-Canada, une république et un pays. Cette prise de position de l'Église ébranlait mes convictions. Plus mon idéal souverainiste se renforçait, plus ma confiance envers l'Église du

Québec se fragilisait. Pour moi, la condamnation des Patriotes était une mauvaise note au bulletin du catholicisme.

Par contre, en dressant un bilan des actions de l'Église, je me devais de nuancer ma position. Je crois qu'en Nouvelle-France, l'Église a joué un rôle primordial. N'eût été sa présence, le peuple québécois n'existerait plus. Oui, certains membres du clergé ont collaboré avec le conquérant anglais. Cependant, au même moment, par la porte de côté, plusieurs autres tentaient de nous libérer en nous instruisant, en faisant de nous des notaires, des avocats. L'Église a appris à tout un peuple à se servir de l'arme du verbe pour se défendre devant le pouvoir anglais. Elle nous a demandé de faire des enfants pour contrecarrer les projets d'assimilation. Dans mes réflexions, que je poursuis encore aujourd'hui, je tiens compte de ces engagements de l'Église. Mais, au fond, malgré tout ça, j'ai la foi en Dieu, en Jésus-Christ et dans les Saintes Écritures.

Durant ce passage à Rome, j'en profite pour me tremper dans l'histoire dont je suis déjà un amant. Tout l'Empire romain est là sous mes yeux. À chaque coin de rue, nous découvrons la trace des grands empereurs, leurs trophées, les obélisques, la piste de course ou encore le Colisée. J'imagine entendre les cris stridents de ces foules qui se nourrissaient de sang tout en oubliant leur propre misère. Nous voilà transportés au cœur de l'histoire de Rome.

Au centre-ville, nous apercevons la vitrine d'une agence de voyages. Plus curieuse que la curiosité, ma compagne me fait remarquer une affiche. On y lit : « Pourquoi ne pas visiter la Tunisie l'hiver ? » Je me vois déjà en pays tropical, loin de l'Italie, où il fait froid.

– « *On y va ? Avec nos cartes d'étudiant, nous allons probablement bénéficier de rabais !* », me lance Marie-Claire avec enthousiasme.

Nous entrons dans les bureaux de l'agence. Vérifications faites, nous avons bel et bien droit à un petit rabais à bord de Tunisair. Toutefois, l'employée de l'agence nous prévient :

– «*Ne vous imaginez pas que là-bas c'est le soleil tropical. C'est l'hiver et le mercure atteint 8, 10, 12 °C. C'est tout de même agréable.*»

Le temps de le dire, comme si nous avions frotté la lampe d'Aladin, nous aboutirons six cents kilomètres plus au sud.

❋

Au bout de deux heures de vol, nous atterrissons en Tunisie. En descendant de l'avion, je prends conscience que je foule le sol d'un autre continent. Je comprends vite qu'il va me falloir quelques heures pour m'y habituer. Ici, on peut humer, même de la capitale, les odeurs du désert. L'architecture, les palmiers, tout cela représente pour moi les *Mille et une Nuits*.

Je prends ma compagne par la main et nous entrons au cœur de Tunis, cette ville paisible et fort belle. En cette veille de Noël, cette tranquillité généralisée correspond-elle à des préparatifs ? Peut-être. Après tout, ne sommes-nous pas le 24 décembre ? Pourtant, il n'y a aucun symbole, aucune effervescence en lien avec la commémoration de la naissance du Messie. Toute cette ambiance est bien loin de la fébrilité romaine. Nous ressentons l'équivalent d'un choc culturel. La situation est surprenante et nous déstabilise un peu.

Ici, la langue arabe règne en maître sur toutes les pancartes et le français constitue la deuxième langue d'affichage. Nous voici dans une contrée arabo-francophone de l'Afrique du Nord. Au fil de son histoire, la Tunisie a été occupée par les Français, mais également les Italiens, puis les Allemands durant la dernière guerre mondiale. Il y a fort longtemps, les Romains, sans oublier Hannibal, avaient accaparé ce territoire. La présence des Berbères ne passe pas non plus inaperçue.

Ce décor constitue un coffret de culture qu'on entrouvre avec émerveillement et dans lequel Jésus n'est qu'un simple prophète. En ces lieux, rien n'évoque les Noëls de mon enfance. Les liens entre cette tradition et la mienne se situent à des années-lumière.

Heureusement à l'époque, comme reporter radio, nos patrons exigeaient que nous lisions beaucoup. Autre temps, autres mœurs, n'est-ce pas ? Même si je sens que mes connaissances sont très limitées, j'ai quand même lu l'histoire universelle. Je sais, en voyant les pancartes Tunis – Carthage, que j'arrive chez Hannibal.

De plus, c'est la première fois que nous mettons les pieds chez les musulmans. Les femmes sont voilées et les hommes habillés comme les bergers à l'ère biblique ! Quel contraste avec Paris et Rome ! Nos points de repères culturels s'estompent. Ma nymphe, un peu angoissée, ne me quitte pas d'une semelle. Dans ce monde étrange, les gens nous regardent comme si nous étions venus d'une autre planète.

Dans les années soixante, l'industrie touristique tunisienne était loin de son apogée. À cette époque de l'année, il y a peu de touristes et le commun des mortels nous regarde en se demandant ce que nous venons faire chez eux. C'est du moins ce que je m'imagine.

En ce 24 décembre, nous décidons de fêter tous les deux, entre nous, cachés, comme le faisaient les premiers chrétiens. Nous partons à la recherche d'un hôtel.

Chemin faisant, nous pénétrons, un peu sans le savoir, dans la médina. J'apprendrai plus tard que celle-ci est une des plus célèbres du pays. Ce lieu chargé d'histoire n'a alors aucune signification pour moi. Mon itinéraire de jeune voyageur ne m'avait amené qu'en France, en Angleterre, aux États-Unis et aux Bahamas. C'est donc avec curiosité que je découvre les ruelles étroites, les odeurs d'épices, les bruits qui tournent parfois au vacarme infernal.

Je me sens plongé dans un monde millénaire. Cet enchevêtrement plus ou moins obscur de commerces, de boutiques, d'étals, avec tous ces bruits, ces brassages de chaudrons ; toute cette scène a des airs de caverne d'Ali Baba. Des hommes hurlent pour vendre du tissu. D'autres, juste à côté, font commerce de fruits et légumes. Je suis vraiment dans un autre univers !

Ces gens semblent être aux dernières heures d'effervescence avant une de leurs célébrations, sans lien avec celles des chrétiens. Je ne saisis pas exactement le pourquoi de toute cette fébrilité, mais je vois qu'il y a une indescriptible agitation dans ce fameux labyrinthe de la médina. Le lendemain, je comprendrai à quel point cet endroit revêt une importance capitale dans l'identité des Tunisiens et du monde arabe. En 1979, la médina de Tunis sera inscrite au patrimoine mondial par l'UNESCO parce qu'elle abrite la célèbre mosquée Al-Zaytuna.

Au détour d'une ruelle, nous la découvrons dans toute sa splendeur. Elle s'élève vers le ciel et s'impose comme une grande orgueilleuse. J'admire pour la première fois cet imposant symbole religieux de l'Islam. Puis, soudainement, en entendant les hurlements du muezzin du haut de sa tour, je me sens terriblement loin de chez moi. De nos jours, ces guides spirituels ne se donnent plus la peine de grimper là-haut, des enregistrements ayant remplacé les appels des hommes de prière. Mais il y a quarante ans, vêtu de noir, je les voyais tourner en haut de leurs minarets. Comme je ne comprends rien aux incantations, à ma demande, un jeune Tunisien nous les traduit.

– «*Le message est destiné aux chrétiens, aux impurs, aux étrangers*», me dit-il.

Imaginez cela, en cette veille de Noël!

– «*N'oubliez pas que le Sauveur n'est pas encore arrivé et quiconque le prétend est dans l'erreur.*»

Une vraie gifle! Ma foi, et le christianisme auquel j'appartiens sont secoués...

Le jeune homme nous apprend que la magnifique mosquée au pied de laquelle nous nous trouvons est bien Al-Zaytuna ou la mosquée de l'olivier.

Je m'initie à cette culture incroyablement riche. Par exemple, des éléments de l'architecture d'une mosquée révèlent quelques caractéristiques des fidèles qu'elle accueille. Des tours rondes attirent une communauté plutôt modérée. Lorsqu'elles sont carrées, elles drainent d'autres groupes de musulmans. Ces informations s'ajoutent à toutes celles que j'emmagasine depuis notre arrivée. Voyager, c'est s'instruire. Voyager, quand on en prend le goût, c'est aller à l'université du monde entier.

Soudain, je réalise que je suis perdu dans le dédale du fameux souk de la médina. De surcroît, ma compagne s'est volatilisée... Pourquoi ne pas profiter de son absence pour lui préparer une petite surprise? Malgré l'inquiétude qui s'installe, je mets mon plan à exécution. Tout à fait ignorant des us et coutumes du pays, je décide de lui offrir un petit cadeau. Un commerçant vêtu de sa djellaba me propose un bijou berbère.

– « *Vous savez, ça vient des montagnes* », m'affirme-t-il.

L'homme semble être arabe. Je n'en suis pas certain. L'objet qu'il me tend, un bracelet de jade, peut provenir aussi bien des Atlas en Algérie que du désert tunisien. En faire la distinction se révèle impossible. Croire le marchand sur parole représente ma seule option. Naïvement, je conclus l'affaire sans rien négocier !

L'homme derrière le comptoir, surpris par mon attitude, paraît trouver la transaction pour le moins étrange.

– « *Étant donné que vous n'avez pas marchandé, je vous offre quand même un petit souvenir en compensation.* »

Il me tend un sachet d'encens. Je viens de faire mes premiers pas dans l'art de la négociation dans un marché arabe.

Soulagé, je retrouve enfin Marie-Claire. Nous parvenons à dégoter une chambre dans un hôtel très modeste. Ici, en cette veille de Noël, loin du vacarme et des regards, cachés dans notre nid d'amour, nous échangeons nos présents. Elle m'offre un foulard et une paire de babouches. Je les conserverai de longues années.

Mais, une question me brûle les lèvres. A-t-elle négocié ses achats ?

– « *Non, non pas du tout. J'ai acheté, tout simplement.* »

Décidément, quels jeunes innocents nous faisons, perdus au cœur d'un monde si différent du nôtre !

Depuis, j'ai remis les pieds au moins 25 fois en Afrique du Nord. Mes expériences confirment que si on ne négocie pas, on insulte le commerçant. Celui-ci pleure, hurle, baisse ses prix. Il se lamente et se prend la tête entre les mains. Tout cela fait partie d'un rituel de négociation. Lorsque vous sortez de son échoppe avec l'objet vaillamment marchandé, ne vous en faites pas, il a quand même réalisé ses gains. Ne vous imaginez pas que vous l'avez roulé. Bien des petits propriétaires de boutique, aussi pauvres qu'ils semblent l'être, sont parfois très riches. Quelques-uns possèdent même un appartement à Paris. Par conséquent, dans les souks et les marchés du Maghreb, on ne paye jamais le premier prix qui est offert. On marchande ! Il n'est jamais trop tard pour apprendre.

❃

Le 24 au soir, nous prenons un petit souper au restaurant de l'hôtel. Puis nous nous cachons dans notre chambre. Nous allumons un cierge et brûlons l'encens offert par le marchand. Nous nous enlaçons et cela est magnifique. Je suis amoureux d'elle, mais je ne sens pas autant d'intensité de sa part.

Le lendemain, je rêve carrément de la marier. L'encens doit sûrement y être pour quelque chose ! Nous passons un Noël inoubliable et étrange à la fois.

Au matin, en me penchant à la fenêtre de notre chambre, je remarque qu'autour de l'hôtel, il y a beaucoup de va-et-vient. Il y a surtout ces gens qui ne ressemblent pas aux Tunisiens croisés la veille. Leurs visages sont emmitouflés dans des keffiehs, la coiffe traditionnelle des Arabes et des Bédouins. Certains d'entre eux portent une mitraillette en bandoulière.

Je traverse la rue et je demande à un guide improvisé qui offre ses services moyennant un bakchich :

– «*Qui sont ces gens ? Que se passe-t-il ?*»

– «*Ah, ça ! C'est le quartier général de l'Organisation de libération de la Palestine, l'OPL de Yasser Arafat !*»

À l'époque, Arafat était une étoile montante de la résistance palestinienne. Au cours des années, en raison des divisions qui faisaient rage entre les différentes factions, cette bâtisse a été la cible d'opposants. Le reporter en moi établissait des liens, rassemblait des morceaux d'informations.

C'est avec le temps et l'évolution de l'actualité politique que j'ai pris conscience de l'importance de l'OLP. J'apprendrai que la Tunisie a souvent été victime de sa générosité d'accueil. Elle sera plusieurs fois frappée par des attentats orchestrés par des éléments antipalestiniens.

En 1970, je me rendrai au Moyen-Orient et je séjournerai plusieurs semaines en Israël. J'assisterai au détournement de trois avions sur l'aéroport de Zarka en Jordanie, ces avions que l'OLP fera sauter après avoir libéré les passagers. À ce moment je me rappellerai mon passage devant le refuge de Yasser Arafat à Tunis.

Plus tard, je comprendrai mieux le problème. Voilà un peuple qui appartient à une nation non reconnue : les Palestiniens sans Palestine. Un peuple qui essaie de rallier tout le bloc arabe à sa cause et qui, encore une fois, est au centre des divisions. La Tunisie peut sympathiquement aider, mais elle ne s'engage pas davantage, car elle ne veut pas entrer en conflit avec Israël. Son armée n'est tout simplement pas de taille à tenir tête à tsahal. Le souvenir de 1967, « La guerre de six jours », où l'armée israélienne a démantibulé cinq puissances arabes, est encore douloureux. Sans compter que les pays arabes sont divisés quant à l'aide à apporter à la Palestine.

Cette situation me fait comprendre la douleur du peuple palestinien qui est obligé de se réfugier ailleurs, comme en Tunisie, pour organiser le mouvement de revendication de son pays inexistant. Sa lutte va souvent passer par le biais du terrorisme. Les plus militants, considérant qu'Arafat n'est pas assez extrémiste, lui tournent le dos. Ils le remplacent par Georges Habache. Puis, Yasser Arafat reviendra à la tête de l'OLP durant de nombreuses années.

Aujourd'hui, la Tunisie reconnaît la légitimité de la Palestine… mais ça ne va pas plus loin. Dans la tourmente du départ de leaders dictatoriaux comme Mohammed Hosni Moubarak en Égypte, ou de la contestation de Bachar el-Assad en Syrie ou du soulèvement contre Mouammar Kadhafi en Libye, la Palestine passe au deuxième plan. Il n'y a plus grand leader qui peut dire : « Eh les gars, amenez-vous chez nous. » Les Palestiniens semblent en attente de l'après-écroulement de tous ces chefs qui les aidaient jadis. Ils nourrissent peut-être l'espoir que les Américains, en imposant la démocratie, vont régler d'une façon plus définitive le problème entre Israël et la Palestine. « On verra, on verra » comme disent les Maghrébins. La démocratie, cela met du temps à se façonner, n'est-ce pas ?

❀

Une fois sortis du quartier de notre hôtel, en ce matin de Noël, Marie-Claire et moi déambulons dans les rues de Tunis envahies de camions bruyants, de grues, d'ouvriers qui s'affairaient comme le feraient chez nous les travailleurs un lundi matin. En pleine matinée des milliers de gens envahissent les rues. Puis, tout à coup, vers quatorze heures, le travail cesse. Tout ralentit. Les boutiques baissent leurs rideaux de métal. Je demande à un passant :

– *« Pourquoi fermez-vous ? »*

– *« On va fêter le mouton ! »*

– *« Qu'est-ce que vous allez faire avec tous ces moutons dans les camions ? Vous allez les tondre ou quoi ? »*

– *« Non. Ce n'est pas la saison encore. On va les consommer. C'est une de nos plus grandes fêtes ce soir et demain. C'est Aïd-el-kébir, la Fête du mouton. Chaque famille va immoler le sien. »*

J'apprends alors l'importance du mouton autant à la table, que dans la tradition divine. La Fête du mouton se rapporte à Abraham et aux vieilles traditions millénaires. Cette année-là, cette célébration se tenait à la même date que Noël pour les chrétiens. Chez nous c'était la dinde, ici c'était le mouton.

En apprenant qu'Abraham est relié à cette tradition, je me suis souvenu que les souches linguistiques de l'arabe et de l'hébreu sont communes. En fait, ces peuples sont tous cousins, ce sont des Sémites, même s'ils se disputent tout le temps.

En 630 après Jésus-Christ, Mahomet va emprunter le Dieu unique de Moïse et celui de Jésus-Christ. Il va puiser à ces deux sources. De là, les origines judéo-chrétiennes. La grande force de Mahomet a été de faire un cocktail de cet ensemble et de le rendre plus facile à comprendre. Par exemple, il suffit de proclamer trois fois que l'on répudie sa femme pour que le divorce soit prononcé. En fait, c'est une religion qui se pratique sans grand effort de compréhension.

Par la même occasion, j'apprends que les musulmans ne mangent pas de viandes de porc. C'est ce qui aurait limité la croissance du mahométisme pendant de nombreuses années. Dans le monde, actuellement, cette religion est la seule en expansion, mais elle se bute à un mur d'indifférence en Asie, particulièrement en Chine. Les Chinois adorent le cochon. La consommation du porc a empêché l'islam d'y pénétrer. Voilà une bonne nouvelle pour le Québec, gros exportateur de porc. Quelques années plus tard, j'aurai finalement l'occasion d'assister à la Fête du mouton.

Lors de cette initiation tunisienne, nous découvrons une cuisine plutôt rudimentaire, mais très bonne. Le plus souvent, nous mangeons des galettes de viande de mouton haché, assaisonné avec des épices, un genre de moutarde, le tout dans un pain arabe. Ça ne coûte alors à peu près rien pour un repas presque complet. Les déjeuners ont un petit côté français avec les croissants et le café. Les repas campagnards sont faits de riz et de viande, parfois de poisson. Les desserts sont toujours à base de miel, très présent en Afrique du Nord. Il ne faut pas oublier que les Romains ont envahi ces territoires, à la recherche de miel, de bois et de blé.

Au cours de notre séjour dans cette capitale, comme l'accès au zoo est gratuit, nous décidons d'aller admirer les animaux africains. À la fin de la visite, je vois une bagnole stationnée le long de la rue qui arbore une plaque du Québec. Je n'en reviens pas! Il y a des Québécois en visite ici. Comme je ne vois personne aux alentours, j'écris une note que je place sur le pare-brise. « Bienvenue en Tunisie. Salut Québécois du Québec libre en devenir. » Je me demande si, vraiment, ils étaient pour le Québec libre en devenir. Je n'ai jamais eu de réponse, et tout ce que je sais, c'est que le Québec n'est toujours pas indépendant.

Comme c'est la mode là-bas, un habitant de Tunis qui s'improvise guide nous propose de voir les vestiges de Carthage. À cet endroit, Hannibal avait rassemblé ses troupes et utilisé dans son armée, des éléphants. C'était une première. Il avait placé ces pachydermes à l'avant-garde de ses troupes et s'en était servi comme de chars d'assaut. L'originalité et l'audace de cette stratégie allaient tellement bien réussir qu'Hannibal ira jusqu'à traverser les Alpes et menacer Rome. Une guerre qui durera dix-sept ans et qui prendra fin en faveur de Rome. En représailles, les Romains détruisirent Carthage.

Je me fais photographier avec ma compagne devant les monuments de l'ancienne ville. Je songe à ces bouts de pierre qui tiennent encore debout, à toutes ces ruines qui parlent. Nous reculons au temps où Scipion l'Africain était venu brûler tout cela. Le doux vent qui siffle entre les colonnes me plonge dans des rêves d'antan.

⁂

Comme toujours, quand j'entre dans un site historique, je m'imprègne de son histoire. Qu'il soit vieux de 300, 1000 ou 2000 ans, j'imagine le décor non altéré par le temps ; ce que devait être cette ville avec son architecture dans laquelle je cherche les traces laissées par les Romains ou les Grecs, ou d'autres civilisations. J'imagine les grandes colonnes recouvertes d'un toit. Je me fais un film dans la tête.

Je visualise ce que devait être l'agitation, le mouvement, les préparatifs pour la guerre. Je vois, sur la grande place, à l'endroit où se dresse encore ce qui reste d'une estrade endommagée par les siècles, un leader militaire en train d'invectiver les soldats. Je le vois enrégimenter les citoyens pour qu'ils aillent se battre contre l'ennemi commun qui était Rome. J'entends tous ces cris, tout ce grenouillage.

J'aimerais que ces ruines ne soient pas des ruines, mais qu'elles soient restées intactes pour nous montrer ce que devait être la vie à cette époque.

Les plus belles ruines romaines que j'ai vues sont à Leptis Magna en Libye. Certains toits tiennent encore. Après le tremblement de terre et le raz de marée de 365 qui a ébranlé toute la Méditerranée et qui a contribué à démolir les sites déjà endommagés, les habitants sont allés y chercher des pierres pour se construire des maisons. Le temps et l'abandon ont fait leur œuvre.

Étant nostalgique, j'aimerais aller à Babylone, même si je sais qu'il ne reste aujourd'hui que des murs troués. Je pourrais reconstituer sur l'écran de mon imagination, les rues agitées de cette cité impure. J'en éprouverais toute la fébrilité. J'imaginerais que je me promène dans les jardins suspendus, marchant dans les pas des grands hommes qui ont marqué son histoire, comme Alexandre le Grand, mort dans cette cité à trente-trois ans.

Un jour quelqu'un m'a demandé si cela m'aurait plu que les choses restent fixées, figées. Bien sûr que oui ! Je suis un rêveur, un véritable nostalgique des temps anciens.

❋

Au cours de cette visite des ruines tunisiennes, j'aperçois une délégation de belles voitures et des gens qui en débarquent. Tout à coup, quelqu'un m'interpelle :

– « *Hé ! Proulx, qu'est-ce que tu fais ici ?* »

C'est Didier Montrevel, un Français que j'ai connu en tournage à *Radio-Québec*. À cette époque-là, il était recherchiste. Plus tard, il va s'intéresser au tourisme, au point de devenir président de la chaîne Voyage en direct qui comptera de nombreuses agences. Pour la petite histoire, un soir, alors qu'il vivait un chagrin d'amour, je lui présenterai Marie-Louise, ma deuxième femme… qu'il mariera quelques années plus tard. N'appelle-t-on pas cela de l'entraide ?

En 1969, je le connais à peine. Après m'avoir salué, il me présente au ministre du Tourisme qui est à ses côtés. Nous discutons quelques instants et l'honorable politicien nous invite, Marie-Claire et moi, à partager un repas :

– « *Vous êtes un ami de la Tunisie, venez manger avec nous.* »

Nous voilà donc installés dans un restaurant de style « palace », assis sur des tapis avec de la musique orientale et arabe qui fait vibrer l'atmosphère. L'endroit est rempli d'odeurs. On nous sert le grand repas : couscous, tajine, brick… Nous mangeons même du pigeon. C'est très bon.

Avant de les quitter, étant donné que je suis l'ami de son ami, par gentillesse, le ministre me dit :

– « *Je vous offre un cadeau. Regardez la boutique ici. Choisissez un tapis arabe ou berbère ?* »

Il m'aide à faire la différence entre l'un et l'autre. Les dessins très chargés, sinueux, c'est arabe. De là, le mot arabesque. Les dessins rectilignes, plus modernes, c'est berbère. Par sympathie, mais aussi parce que j'aime le modernisme, je choisis un tapis de prière berbère. J'ai bien fait, car mon hôte est Berbère !

Sachant que je suis journaliste, il me dit :

– « *J'espère que vous allez parler de nous quand vous rentrerez à Montréal.* »

Ce qu'il ignore, c'est que je suis en plein stage à *Radio Luxembourg* pour plusieurs mois encore. Je me trouve simplement ici en vacances pour trois semaines.

Je suis content du cadeau qu'il m'offre, et surtout d'avoir choisi un tapis berbère. En fait il m'ouvre de nouveaux horizons. À travers mes voyages subséquents en Tunisie et dans le Maghreb, je pourrais constater que, malgré leur isolement, les Berbères qui viennent en ville s'adaptent à l'autorité prédominante arabe. Ils occupent des postes dans la fonction publique. Ils sont présents dans le gouvernement, où ils peuvent être députés ou encore président. Certains travaillent au sein de la ligue arabe. Ils sont très bien acceptés, sauf sur un point : leur langue. En Algérie, les Berbères ont voulu imposer leur langue en passant par le bilinguisme officiel. Ils se sont fait répondre : « On veut bien que vous l'appreniez un peu à l'école, mais pas question d'aller plus loin ! »

Un peu comme le français au Canada anglais ! C'est à peu près pareil.

❋

Au cours des années, on m'a appris à reconnaître les Berbères. Le nom Berbère viendrait selon certains, du mot « Barbare » ou du mot « Iber-iber ». Il signifie nomade en langue touarègue.

Longtemps, les Berbères, ces gens du désert, ces caravaniers, comme les Touaregs, ont vécu au rythme de cette nature aride. Dans leur transhumance, ils ont partagé ces vastes étendues avec les Bédouins.

Les marques les plus visibles pour les reconnaître s'observent dans leurs vêtements multicolores, bien agencés. Nul besoin de suivre la dernière mode, ils sont élégants. Leur harmonie de couleurs entre les rouges, les noirs, les jaunes pourrait inspirer des notions d'esthétique à nombre de Québécois. Chaque village berbère utilise des dominantes de couleurs. Certains affichent le bleu et le jaune, d'autres le blanc et le noir, etc. Les femmes berbères portent fièrement des bijoux, le plus souvent en argent.

Les Berbères affichent une dignité qui en impose. Pourrais-je établir une comparaison entre eux et les autochtones du Canada ? D'une certaine façon, mais elle n'est pas aussi claire. La culture berbère est certainement la plus présente au milieu des Arabes d'Afrique du Nord. Dans l'histoire tunisienne, les Romains ont attaqué le littoral et se sont enfoncés dans les terres. Là, en voyant les Berbères, les envahisseurs ont vite compris qu'il valait mieux reculer. Ces adversaires, ils les considéraient comme trop « barbares ». Ceux-ci défendaient le territoire qu'ils couvrent depuis la nuit des temps. Probablement même avant les Phéniciens.

Ce qui m'a le plus surpris, dès le premier contact, c'est leur fierté. Il est très difficile de les photographier ! Ça m'a vraiment étonné. Je me suis même fait lancer des cailloux, notamment au Maroc.

Les revendications berbères en faveur de leur identité m'ont aussi surpris. Tout de suite, en tant que Québécois qui se bat pour se définir dans un grand tout américanisé, j'ai éprouvé envers eux une sympathie. Les Arabes tiennent compte de leurs distinctions, mais du bout des lèvres. À Alger, je les ai vus, tout comme les Kabyles, se faire matraquer par la police.

Pour moi, il n'existe aucun doute. Tout Québécois soucieux de sa propre culture ne peut qu'être favorable aux demandes de ce peuple du Maghreb. Celui-ci lutte pour que soient reconnues sa langue et son identité. C'est quelque chose de très noble.

Les Berbères ont traversé des millénaires, tout en préservant les caractéristiques de leur culture. Ces peuples nomades ont été protégés par le désert inhospitalier, les montagnes, les Atlas qui assument encore un rôle de barrière naturelle. Tout comme les autochtones de l'Amérique du Sud ou de l'Indonésie doivent à la jungle, une nature à la fois hostile et impénétrable, la survivance de leur mode de vie. Qui veut aller vivre là ? Peu de monde.

Les autres cultures leur sont accessibles, mais ils ne s'y invitent pas plus qu'il ne le faut. Le métier traditionnel d'éleveur des peuplades du désert de l'Afrique du Nord est un rempart contre les influences venues d'ailleurs. Ils achètent un cheptel et se promènent d'une région à l'autre pour le faire prospérer. Ils sont en constant déplacement. Quand une de leurs bêtes est trop vieille, ils la vendent et en achètent une plus jeune pour assurer le renouvellement du troupeau.

Cette contrée aux coutumes millénaires n'a pas encore été altérée par la modernisation. C'est ce que j'en ai perçu durant mon premier voyage en Tunisie. Les femmes s'adonnent à des métiers souvent artisanaux. Je les ai vues fabriquer ces tapis berbères. Ils ne sont pas aussi renommés que ceux de Turquie ou de l'Iran, mais ils parviennent à les vendre sur les côtes, notamment aux Européens de passage.

Les tribus berbères vivent dans une espèce d'autarcie par laquelle elles se débrouillent fort bien. En 1969 j'ai observé que l'exclusivité du territoire, leur mode de vie et leurs traditions les mettent à l'abri des influences extérieures.

Hélas, aujourd'hui, plusieurs d'entre eux succombent aux appels de la ville où leur présence se fait de plus en plus visible. Cette sédentarisation s'observe principalement en Libye, où la richesse, les pétrodollars et le confort changent la donne. Reste à voir si leur culture nomade se diluera, leurs langues tribales s'arabiseront et disparaîtront.

Malgré mes appréhensions, lors de ma dernière visite en Tunisie en 2003, je n'ai observé qu'un glissement très lent vers l'arabisation. À mes yeux, ces peuples du désert se révèlent beaucoup plus tenaces que les Québécois. Il faut dire qu'ils ne subissent pas la pression de la mondialisation, synonyme d'américanisation au même titre que nous, voisins de cette superpuissance. Le rock'n'roll, le Coca-Cola, la mode, le plaisir, le divertissement, les sports, tout est américain! Dans ma perception, les Berbères sont encore loin d'être assimilés. Leurs traditions, leur habillement, leur langue, leurs us et coutumes sont un rempart contre les grands courants du modernisme.

Tunisie

L'initiation au désert

Toujours au cours de ce premier séjour, nous visitons un petit village, Sidi Bou Saïd, pas très loin de Tunis. Je suis émerveillé par son côté pittoresque et surtout ses couleurs, blanc et bleu. Toutes les maisons sont peintes en blanc et les accessoires, portes, tours de fenêtres, décorations, sont du même bleu. Un véritable plaisir pour les yeux.

D'autres régions adoptent de tels jeux de couleurs. À certains endroits les maisons sont blanches et les portes vertes ; à d'autres, elles sont strictement blanches. Bien sûr, il y a une signification à toutes ces couleurs, mais pour l'étranger c'est tout simplement d'une grande beauté.

Ma compagne et moi continuons notre progression vers l'ouest en longeant le littoral tunisien.

Nous arrivons à Tabarka près du front de mer, puis nous descendons plein sud vers le site archéologique de Bulla Regia. Plus nous avançons dans cette direction, plus nous nous éloignons de la domination arabe et plus nous croisons de Berbères. Nous sommes attirés par la couleur, les gens, la lumière. Tout est là, dans ce soleil omniprésent. En même temps que nous découvrons les paysages, nous entrons en contact sans difficulté avec ces tribus. Nous passons beaucoup de temps avec eux. Comme tous ne parlent pas français, je sympathise en leur souriant.

Je m'aperçois qu'en allant vers l'intérieur des terres, se faire comprendre en français est de moins en moins facile. Il y a toujours une ou deux personnes qui le parlent, mais sans plus. Le français est surtout présent le long du littoral méditerranéen et dans les villes. Nous sommes un peu comme les Romains qui se heurtent aux Berbères. Cette fois, c'est la barrière linguistique. Peu d'échanges verbaux, mais des sourires. Il arrive qu'ils nous offrent le thé et quelques biscuits.

Dans le secteur où nous sommes, ils logent dans des maisons à même le roc. Voilà qui est plus qu'original! L'aménagement de ces habitations, bien que très spartiate, est quand même confortable et très propre. Une petite table, un grabat, un meuble. Il y a des tapis sur les murs et étalés au sol sur plusieurs épaisseurs pour atténuer l'humidité. Ces gens mangent accroupis. Ils habitent dans du solide. Ils n'ont pas à craindre les tremblements de terre ou les inondations dus aux orages qui font de gros dégâts quand ils s'abattent sur leur royaume.

Dans l'arrière-pays, nous dormons dans des hôtels au confort très rudimentaire avec «toilette à pédale» à l'étage. Mais rien de cela ne nous aurait fait rebrousser chemin.

❁

Quelques jours plus tard, ma jolie amoureuse et moi stoppons dans une auberge creusée à même le roc. Des ouvriers prennent leur repas du midi. Je vois qu'ils murmurent à propos de ma compagne, mais je commence à y être habitué, tout en sachant que je n'en ai pas fini avec ces «zieutages».

Ils sont venus à dos de dromadaire. À la porte, leurs bêtes sont stationnées comme les motards gareraient leurs motos. Sept ou huit de ces animaux attendent que leurs propriétaires finissent de manger avant de retourner au chantier. Incroyable!

Nous ne sommes pas au bout de nos surprises. L'empire Coca-Cola étend ses tentacules jusqu'ici: les travailleurs doivent payer la traite à leurs montures. Les dromadaires du coin aiment tellement le goût de la boisson emblématique américaine qu'ils refusent de bouger à moins qu'on leur en serve à boire. Avant de reprendre la route, les gaillards doivent donc se plier et servir une bouteille de Coca-Cola aux animaux pour qu'ils acceptent de se lever. Qui aurait pensé cela, en ce pays où l'homme passe pour un dur de dur. Même l'acculturation guette les pauvres quadrupèdes, des bêtes tellement utiles. Renversant!

❁

Plus tard, à Monastir, sur la côte sud-est de la Tunisie, un guide me montre un édifice en construction. Le président Bourguiba n'est pas encore mort, mais il y fait construire un immense mausolée pour accueillir son repos éternel. À compter de sa mort, en 2000, cette sépulture deviendra un lieu hautement fréquenté.

Je n'aimais pas tellement Habib Ben Ali Bourguiba. Il dirigeait la Tunisie d'une main de fer. Je n'avais pas apprécié ses propos lors de l'inauguration du pavillon de la Tunisie à Expo 67 à Montréal. Il avait blâmé le général de Gaulle pour avoir lancé son « *Vive le Québec libre !* » du balcon de l'hôtel de ville de Montréal. Je considérais qu'il se mêlait de ce qui ne le regardait pas. Je jugeais qu'il ne comprenait pas notre problème ! Ce qu'il avait dit m'avait choqué.

Nous glissons le long de la côte est, en piquant vers le sud jusqu'à El Jem, célèbre pour son immense amphithéâtre. L'armée romaine ayant occupé l'endroit au IIIe siècle y a laissé sa signature. Nous découvrons lors de ce circuit, aussi beau que celui de Rome, le Colisée de Thysdrus. L'ensemble est très impressionnant. Désormais, on y donne des spectacles sons et lumières. Je suis émerveillé par la beauté du lieu.

Tout à coup, dans un espace adjacent au Colisée, mon attention est attirée par des « Wra,wra,wra ». Il y a là des jeunes filles en jupettes avec des pompons dans les mains. Des meneuses de claque, des *chearleaders* ! Je pense qu'il s'agit d'une équipe américaine, mais quelle n'est pas ma surprise de voir dans ce décor l'équipe des Alouettes de Montréal. L'organisation a choisi ce bel endroit pour récompenser ses joueurs et les meneuses de claque, une façon de les encourager à poursuivre les entraînements. C'est vraiment spécial de renouer ainsi, en plein cœur de la Tunisie, avec un petit morceau de Montréal. Je n'en reviens pas !

Comme nous approchons du sud, les parfums du Sahara se font sentir. Eh oui, le Sahara a ses effluves ! Lorsque je demande à un habitant :

– « *Sommes-nous loin du désert ?* »

il me répond :

– « *Il faut prendre le car et faire de nombreuses heures de route.* »

Pourtant je sens déjà sa chaleur. L'air est chargé de sable. Certains jours le ciel en est assombri. Je me dis : « Je ne peux pas croire que je ne verrai pas le désert. » Une attraction très forte m'envahissait. Je ressens son magnétisme et l'homme me dit en me montrant le ciel :

– « *Regarde, le désert se manifeste.* »

Quelques années plus tard je le vivrai au Sénégal, où, pendant trois mois, je n'ai jamais vu le bleu du ciel. Les gens s'exclamaient : « Ah, le Sahel fait des siennes. Il soulève le sable. » Puis, la nuit tout redevenait clair à la lueur de la lune.

Emblèmes et arabesques honorent la nature et sont imbriqués dans leur mysticisme. Voilà qui ajoute à leur caractère. Pour les Tunisiens, la Lune constitue un de leurs grands symboles. Ils la représentent partout, même sur leurs drapeaux. Cet astre est un signe identitaire. Avec le temps, j'ai compris que, pour eux, la Lune est la lampe du désert. Est-ce que la modernité leur fera perdre cette vénération et ce respect de la nature ?

C'est mystérieux, cette attraction que le désert exerce sur moi. Djerba en est ma porte d'entrée. Les Touaregs, des hommes forts et costauds, vêtus de bleu et de blanc, nous y accueillent. Ils parlent fort et très vite une langue qui sonne étrangement à mes oreilles : le tamachek.

Partis de Sfax, nous mettons douze heures, à bord de l'autobus du peuple, pour atteindre l'accès à ce vaste espace. À bord, certains transportent des poules vivantes achetées au dernier marché. Je ne suis qu'un étudiant, un subventionné du gouvernement, et ni Marie-Claire ni moi n'avons beaucoup d'argent. Notre budget est très limité. Nous sommes emballés d'avoir la chance de pénétrer si profondément dans le pays en si peu de temps.

À Douz, l'endroit le plus au sud que nous atteignons lors de ce périple, nos yeux scrutent l'immensité désertique. Quel panorama ! J'entends le silence. Un silence tonitruant ! C'est comme cela que je le ressens. Je pense alors à tous les méditatifs qui avaient vécu dans le Sahara, à l'importance de ses vastes étendues arides dans la littérature, aux grandes personnalités qui avaient parlé de ces espaces infinis de sable et de pierre. Bref, je comprends pourquoi ils viennent ici.

Au premier abord, ce lieu m'apparaît comme une terre morte, mais je découvre bien vite qu'il est grouillant de vie.

Les Touaregs nous reçoivent. Ils sont sept ou huit montés sur leurs dromadaires. Ils nous regardent, tout emmitouflés qu'ils sont dans de longs tissus qui les protègent du froid et de la chaleur. Certains portent des lunettes soleil. Ceux dont on distingue les yeux nous jettent des regards qui nous figent. Ils semblent les maîtres absolus de ce territoire. Ces mêmes regards traînent en longueur sur Marie-Claire, la blonde aux yeux bleus qu'ils pourraient kidnapper et vendre à une tribu du Mali puisque ce pays est fréquemment montré du doigt pour ce genre de trafic. Je me fais rassurant, mais nous nous demandons ce qu'ils pensent de nous. Dans le fond, c'est l'habillement qui provoque cette réaction. Une fois leurs foulards enlevés, ils ont des têtes sympathiques d'enfants ou de gars costauds qui ont vécu à la dure. Leurs visages doux apparaissent avec, dans leurs traits, les marques des épreuves, mais aussi de la bonté. Voilà les hommes du sable vivant sur ce tapis bouillant à cause de ce soleil qui refuse de lâcher. En réalité, ce sont des jeunes qui ont perdu leur innocence en souhaitant trop rapidement devenir des hommes. Autour de nous, le paysage est féerique.

Étant presque sans le sou, je sens que des problèmes monétaires se profilent à l'horizon. Ma compagne et moi optons donc pour une randonnée courte de quelques heures. J'aurai le privilège d'y retourner pour des séjours plus longs ici en Tunisie, mais également en Libye, au Maroc et en Algérie. Je me le promets !

Même si nous sommes en décembre, il fait très chaud. La température monte aux environs de 25 °C, alors que la nuit elle chute près de -3 °C.

En cette basse saison, les clients sont rares. Notre groupe se résume à un étranger et nous deux. Quatre Tunisiens vont nous accompagner. Nous formons une petite caravane. Ceci nous permet d'aller plus à fond dans nos conversations et nos échanges.

Nous partons à dos de dromadaire, un animal extraordinaire, qui grogne sans cesse, mais qui nous amène à pas lents à travers des étendues infinies. Au début, perché sur le dos de ce camélidé, nous sommes étourdis. Quand il marche, il nous fait ballotter de l'avant à l'arrière, et de l'arrière vers l'avant, au point où on pense tomber. Il faut vraiment suivre son mouvement. On l'apprend rapidement en se laissant glisser, mais les premières minutes ne sont pas de tout repos. Heureusement le caravanier nous aide à appréhender ce mode de locomotion essentiel de la région.

❋

Je savais que les voyageurs du désert voyaient des oasis qui s'estompaient au fur et à mesure qu'ils en approchaient. Les fameux mirages.

Quand j'aperçois un point vert sur la mer de sable, je m'écrie :

– « *Une oasis !* »

– « *C'est effectivement un lieu de fraîcheur. Nous allons y prendre un thé,* me confirme le Touareg. *Ce n'est pas un mirage.* »

Lorsque notre petite caravane pénètre dans la palmeraie, nous avons l'impression d'arriver dans un éden ! Invités sous une tente, une femme nous sert un thé. Nous sommes dans le Sahara, comme dans un film, tout près d'un petit ruisseau chantant et limpide. J'entends encore ses ruissellements.

Voilà un paradis comme il en existait, il y a deux mille ans. Les caravaniers et les habitants du coin se contentent de dattes et des quelques fruits offerts généreusement par Dame Nature.

La femme qui nous sert est l'épouse d'un des chameliers. Il lui parle avec autorité, elle se tient toujours en retrait. C'est le lot des femmes ici. Autour de nous, il y a une pléthore d'enfants. Juste à côté, d'une tente voisine, une jeune beauté me fixe des yeux. Après Marie-Claire, c'est à mon tour. J'en suis mal à l'aise tellement son regard est intense. Marie-Claire s'en doute-t-elle ? Elle s'en fout probablement puisque je sens que je suis à l'entrée de son cœur et non à l'intérieur. Toujours est-il que les regards de la belle étrangère faisaient que je ne savais plus où regarder. Seul un cistercien aurait pu résister. Elle devait avoir dix-huit ans maximum et je ne pouvais pas m'imaginer qu'elle était déjà promise à un homme choisi par son père. Nul doute qu'elle aurait pour mission de faire des enfants à la chaîne. Rêvait-elle en me « zieutant » de la sorte à un preux chevalier capable de l'emmener dans le désert glacial du Canada ? Je ne saurais le dire, mais l'intervention d'un de ses frères me fit comprendre qu'on ne sort pas une femme d'un clan ou d'une tribu aussi aisément. Attention à ceux qui veulent s'emparer d'une des leurs !

Ces oasis, habitées depuis des lunes par des gens qui font l'accueil, un peu comme les aubergistes au nord, sont intégrées au décor. Ils maintiendront la tradition, tant qu'il y aura des curieux qui voudront vivre l'expérience du Sahara. C'est leur vie.

Avant de repartir, l'épouse officielle nous regarde et dit :

– « *Revenez nous voir, nous aimons les visiteurs.* »

C'est évident qu'elle souhaite nous vendre le projet de venir séjourner deux ou trois semaines dans l'oasis. Ni Marie-Claire ni moi n'en avions les moyens à ce moment-là. Le temps nous pousse et le calendrier nous bouscule. Les vacances sont passablement entamées.

La pause terminée, nous repartons. Nous prenons la route et, sur le chemin, c'est presque le silence total, aucun bruit de moteur, aucune voiture. Seules parviennent à nos oreilles les lointaines conversations de gens qui forment d'autres caravanes.

Puis, pendant un moment, j'échange avec un des caravaniers. Les phrases sont saccadées, car il parle un français rudimentaire. Je l'interroge sur sa vie, sa famille, son endurance, les maladies, les problèmes qu'ils peuvent avoir. Je lui pose des questions sur l'avenir de ses enfants.

– « *Quel âge as-tu ?* »

– « *J'ai vingt-neuf ans.* »

– « *Tu gagnes ta vie comme ça ?* »

– « *Oui, avec quelques bakchichs en plus.* »

– « *Tu as deux ou trois femmes ?* »

– « *J'ai eu une femme avant. J'ai ma deuxième. J'ai le droit d'en avoir quatre, mais pas les moyens.* »

– « *Tu as des enfants ?* »

– «*J'en ai six.*»

Je n'en reviens pas : six enfants à vingt-neuf ans !

Sous la tente, j'avais bien vu de la marmaille. Si les enfants allaient à l'école, c'était à l'école de la vie, celle du Sahara. Peut-être en avaient-ils une, mais je n'étais pas certain qu'ils y allaient.

– «*Que faites-vous quand vous tombez malades ?*»

– «*On a les moyens de se soigner nous-mêmes.*»

Chez ces peuplades, les traditions de chamanisme demeurent toujours présentes.

Lors d'une pause, il prend son propre foulard et m'en enveloppe la tête. On voit juste mes yeux. Cette action, je l'interprète comme un signe d'appréciation. Je pense qu'il a compris et qu'il a aimé ma politesse, ma curiosité et le respect que j'ai pour eux. En faisant ce geste, il dit :

– «*Bon Français, toi. Bon Français. Homme bon.*»

Je sens de la sincérité derrière tout ça.

Puisque nous sommes en fin de journée, nous assistons au coucher de soleil. Ses rayons viennent peindre le tapis de sable doré de différents tons de rouge ou de rose dont l'intensité change au fur et à mesure qu'il baisse sur l'horizon.

❋

Cette introduction me fait découvrir tout un peuple. Je suis intrigué par l'isolement qu'ils vivent. On dirait qu'ils sont au bout du monde, au milieu de nulle part. Presque sans moyen de communication. Il y a peu de rapports intercommunautaires. À part quelques étrangers qui passent de temps à autre, ils vivent dans l'isolement. Quelle autonomie ! Ils ont un côté misanthrope. On dirait des communautés ermites !

En fait, ils sont plus ermites que misanthropes. Un misanthrope, c'est une personne qui ne veut pas voir le monde. Moi, je peux être un misanthrope, sûrement parce que j'ai été pollué durant cinquante ans par trop de contacts avec le public. Les Berbères du Sahara, eux, sont ermites. Ils aiment les gens.

Un autre élément qui a piqué ma curiosité, c'est leur espérance de vie. Elle est plus courte que dans les villes. Les accouchements sont pratiqués par les sages-femmes. Il y a toujours la femme de la tente d'à côté qui vient aider sa voisine à enfanter. L'hygiène n'existe pas. Leur vie n'est généralement pas très longue. Comme ils sont fatalistes et très soumis aux règles de la nature, ils l'acceptent. Si l'hygiène s'installait, ils pourraient prolonger leur existence. Quand un Berbère tombe malade, il peut compter sur quelqu'un qui, à dos de dromadaire, ira chercher un médecin ou fera en sorte que le blessé soit transporté à l'hôpital. Mais la plupart du temps, il endure son mal. Les nomades ont une grande tolérance à la douleur. Le chagrin ne doit pas s'exprimer. Combien de fois ai-je entendu:

– «*Ma femme est morte. Je l'aime beaucoup, mais je n'en parlerai plus. Je tourne la page.*»

Il en est de même pour un chagrin d'amour. Ils s'abstiennent de l'exprimer.

Bien que les Berbères que j'ai rencontrés ici soient Tunisiens, comme ils le répètent souvent, il faut comprendre qu'avant tout ils appartiennent au désert. Ils sont Sahariens. Aujourd'hui, ils sont en Tunisie, mais dans deux mois, on les rencontrera en Algérie, en Libye ou en Mauritanie. Ce qui compte, c'est leur communauté, leur identité. Vus sous cet angle, ils sont très chauvins. Ils existent en dehors des influences extérieures, en vase clos, et ils nous le montrent par leurs réflexions. Pas par xénophobie, pas par nationalisme, tout simplement parce qu'ils respectent leur propre nature. Ils appartiennent au territoire, à l'immensité. Le Sahara est leur royaume.

Au retour de cette excursion, ma belle Acadienne suggère de poursuivre notre périple improvisé du côté de l'Algérie.

– «*Parce qu'il faut rentrer pour les Rois, en France*», me dit-elle.

Je viens de vivre une bien courte expérience, mais ce petit séjour de rien allume en moi une passion. Je viens d'attraper le virus du désert. Je me promets d'y revenir et d'y goûter à fond.

En six jours, nous avons visité pas mal d'endroits. Nous avons atteint le Sahara. Je ne savais pas quand j'y reviendrais. J'ai toujours procédé de la même manière. Je travaille, je ramasse de l'argent et je m'en vais. Je reviens, je travaille, je ramasse de l'argent et je repars. Une autre destination m'appelle. Je veux voir ou revoir tel ou tel endroit sur la planète : je travaille, je ramasse de l'argent et j'y vais. Je n'ai pas de yacht, et pas de manoir ou un appartement en Floride. Les voyages, c'est ma manière à moi de vivre.

Tunisie

Un beau pays en effervescence

Je retourne en Tunisie, dans les années quatre-vingt-dix, à trois reprises, invité par l'Office national du tourisme tunisien à l'occasion de voyages de presse. Ce sera une tout autre initiation. On m'invite parce que je collabore au *Devoir* où j'écris des chroniques sur le tourisme. Je parle aussi de mes voyages à la radio.

Par la suite, je séjourne au Maroc et en Tunisie avec un groupe de journalistes. Fernand Deschênes en est l'organisateur. Mon but est d'alimenter mes chroniques. Nous étions là pour ouvrir de nouvelles portes aux touristes québécois, sur des pays sécuritaires, où on parle français, où le dépaysement n'est pas trop brutal et où les prix des hôtels confortables sont abordables.

Lors de ces voyages, c'est le grand luxe. Fini les hôtels à un dollar. Fini les nuits sur un banc de gare. Nous sommes logés dans des palaces. Ces circuits me font voir la Tunisie que connaissent maintenant une majorité de Québécois, sous un jour très différent de ce que j'avais connu vingt ans plus tôt.

C'est l'époque où l'industrie touristique tunisienne s'offre au monde. Encore aujourd'hui, on propose un voyage de quinze jours, trois repas par jour, des excursions magnifiques et de beaux hôtels avec la piscine chauffée, à prix d'aubaine.

À l'occasion d'un des voyages de presse, nous faisons la traversée Montréal-Paris : une journée dans la Ville lumière. Ensuite, un saut en Sicile, puis un vol vers la Tunisie. L'idée est de donner un avant-goût de trois paysages totalement différents. Nous nous rendons à Sousse, puis à

Sfax, toujours dans des hôtels cinq étoiles avec spectacles de danseuses de baladi et musique arabe. Ces circuits arboraient une couleur arabe bien davantage que berbère.

❋

Les trois derniers voyages m'ont moins étourdi. Ils étaient moins exotiques, moins aventureux, plus confortables. Je découvrais cependant les belles infrastructures touristiques, dont ce pays dispose, contrairement à l'Algérie, qui a beaucoup à offrir, mais qui en manque cruellement.

Par contre, je découvre plusieurs musées. Celui du Bardot à Tunis met les visiteurs en contact avec les origines de ces peuples. Ils mesurent l'influence des Phéniciens, les inventeurs de la chaloupe, et des Crétois. Une large section souligne l'apport qu'ont eu l'Empire romain et la France sur cette contrée. La vie des Berbères et l'importance du désert s'imposent comme des incontournables.

Plusieurs musées se consacrent à l'art pictural, ornementé des fabuleuses arabesques, et à la littérature. Il y a dans cette culture de grands peintres et écrivains. La Tunisie a vu éclore le talent de très nombreuses écrivaines remarquables. En fait, les écrivaines tunisiennes sont plus présentes dans la littérature que leurs confrères. Ici, les femmes fréquentent les lycées et les universités. Elles sont instruites et s'affirment beaucoup.

❋

Dans ces groupes de journalistes, j'eus l'occasion de côtoyer des féministes qui se réjouissaient des avancées du modernisme.

– «*Les voiles sont tombés, les femmes portent moins de djellabas. Les symboles de soumission sont du passé*», affirmaient-elles.

De mon côté, j'avais des regrets.

– «*C'est leur culture, leur religion, leur géographie. Laissons ça intact, c'est magnifique. Ces gens n'ont pas encore été influencés par l'américanisation. C'est tant mieux.*»

Hélas, à chaque nouveau voyage depuis 1969, tous les trois ou quatre ans, j'ai remarqué que les voiles disparaissaient des rues. Les filles sont habillées à la mode européenne. Par ailleurs, ce qui surprend depuis ces dernières années, tient au fait que de plus en plus de jeunes femmes remettent le voile par conscience politique. On observe aussi ce phénomène en Occident. Le voile devient un symbole plus militant que religieux. Autre époque, autres mœurs, n'est-ce pas ? Au Québec, on croise de plus en plus de femmes qui, chez elles, se disaient ostracisées et une fois arrivées ici s'enrobent dans leurs vêtements tout en marchant derrière leur mari. À cela s'ajoute l'imposition de l'anglais et au diable la petite culture du Québec.

Mon dernier voyage a lieu en 2003. Il ressemble aux deux précédents. Notre groupe de journalistes est reçu par les autorités politiques et par le ministre du Tourisme tunisien. Ce n'est pas le même qu'en 1969. Puis, nous assistons à des séances d'information, des conférences et des films. On nous amène dans le Sahara pour un coup d'œil éclair. À peine un avant-goût. Ça ressemble davantage à de la propagande et à une mise en valeur de ses beautés indéniables. Mais, des problèmes politiques, de la censure, des incarcérations ou des contestations, on ne nous en parle pas.

Malgré cela, je me permets de poser certaines questions.

– « *Qu'avez-vous à dire sur la contestation, le mécontentement du peuple ? Votre presse n'est-elle pas contrôlée ?* »

– « *Non, non. Il y a une opposition à l'Assemblée nationale* », me dit-on.

On esquive, on babille.

Ce n'est pas le genre de questions qu'on apprécie. Je me fais rappeler à l'ordre :

– « *Vous êtes venu ici pour découvrir nos infrastructures touristiques, pour attirer les Québécois. Avec le temps, vous verrez que la vérité n'est pas ce qu'on vous a dit dans les autres médias.* »

Je sais que les personnes qui nous répondent sont associées au pouvoir et qu'elles sont des proches du président Zine el-Abidine Ben Ali. On connaît la suite…

*

Les événements qui secouent le Maghreb depuis janvier 2011 m'inquiètent. Les États-Unis sont le leader de l'imposition de la démocratie sans savoir comment l'appliquer dans des pays où les individus ont une structure mentale anarchique. L'Irak illustre avec éloquence cette méconnaissance. Comment peut-on rêver d'imposer un régime politique à l'américaine, là où le peuple a été habitué, depuis des centaines d'années, à être mené à coups de botte par une autorité forte ?

À titre d'exemple, la France n'a-t-elle pas tenté d'instaurer une forme de démocratie en Algérie et au Maroc ? Elle a dirigé ces pays avec l'aide de l'armée. Mais, une fois retirée ou chassée, on a pu constater l'état d'anarchie dans lequel sont entrés ces pays.

Le Maroc se vante d'être démocrate, c'est une démocratie à gros grains. De son côté, l'Algérie essaie d'en instaurer une. Elle le fait avec prudence, parce que, qui dit liberté, dit souvent anarchie. Les vagues de protestation contre les régimes en place alimentent une crainte parmi d'autres, celle d'une démocratie moins rigide qui laisserait beaucoup de place aux mouvements intégristes.

Au risque d'en choquer plusieurs, je pense que de nombreux pays du monde arabe sont des sociétés aux tendances anarchiques parce que les individus ont une mentalité anarchique. Elle fait partie de leurs fibres profondes. En cela, les Québécois leur ressemblent. Nous sommes incapables de nous unifier ou de nous rassembler autour d'une idée principale. Nous n'arrivons pas à nous doter d'une bouée bien ancrée. Nous n'acceptons pas l'appel d'un dirigeant qui serait l'éclaireur de notre nation et nous permettrait d'aller vers un objectif commun.

Au Maghreb ou au Québec, sur le plan de la mentalité, c'est du pareil au même. Nasser, en Égypte, a essayé de réunifier tout le bloc arabe. Par la suite, Kadhafi s'est imaginé pouvoir le remplacer. Tous deux ont échoué. Il n'y a qu'à observer dans cette région du monde la multitude de divisions où chacun tient à son opinion et veut influencer d'autres groupes. En raison de cet état d'esprit de désorganisation, pas un chef d'État ne réussit à créer cette nécessaire unité. Comment établir un régime démocratique dans des sociétés si éclatées ?

Les invasions, les conquêtes et les reconquêtes n'expliquent pas ce phénomène. Les religions non plus. On peut tenter d'y voir plus clair. Les chrétiens n'ont pas eu une grande influence dans le Maghreb. Le paganisme est passé par là, sans vraiment laisser de trace. Puis il y a eu, bien sûr, le mahométisme. Pour moi, l'Islam est un cadre moral où toute religion est bonne. Donc, elle se révèle inclusive et accueillante. Mais, l'opportunisme de l'homme a déformé la pensée de Mahomet, l'a détournée à son profit et l'a politisée. De là, sont peut-être nés les divisions et les groupuscules. Cette grande religion, à l'instar des autres, s'est d'abord adressée à des gens peu lettrés. Au fil du temps, il a été facile de les enrégimenter dans des mouvements qui s'éloignent de l'origine des enseignements du prophète. La beauté de base de cette religion est pourtant l'hospitalité.

On peut aussi se demander si, pour ces sociétés, le fait d'être moins scolarisées les met à l'abri de l'américanisation. Pour l'instant, je le crois. Cependant, il y a deux côtés à l'ignorance. Dans le cas des Berbères, leurs traditions millénaires, leur vie rurale, leur manque d'instruction les empêchent d'être séduits par les sirènes du matérialisme. Un peu comme le Québec d'hier, où le clergé clamait le fait que la ville était la damnation et la campagne, le salut. Aujourd'hui, on peut conclure que c'était épouvantable d'affirmer cela, mais il y avait un fond de vérité. La terre nous protégeait des influences extérieures et cet isolement nous a aidés à conserver notre identité.

Par exemple, dans la Libye de Kadhafi, certainement le plus célèbre des Berbères, malgré les richesses, malgré les milliards investis dans l'instruction, malgré la mise en culture d'une partie du désert, la contestation se fait entendre. Le matérialisme a remplacé les caravanes des Touaregs et des Berbères par des 4x4 dans le désert. La modernité commence à séduire ces tribus et à les unifier sous la bannière du matérialisme.

Nul ne peut condamner le fait de s'instruire, de s'ouvrir sur le monde, mais les peuples doivent-ils, pour autant, oublier ce qu'ils sont ? L'instruction doit-elle effacer les caractères distinctifs de chaque peuple, de chaque tribu, de chaque famille pour tout uniformiser ? Pour tout mondialiser ?

Quand j'exprime ces idées, plusieurs personnes me disent :

– « *Tu es réactionnaire. Tu ne veux pas qu'ils évoluent ? N'est-ce pas un bienfait que le voile tombe ?* »

Je n'ai pas de réponses toutes faites. Rien n'est simple dans ces contrées millénaires. Mais, ce que je dis, c'est que j'aime leurs différences. Les incantations du muezzin, je les entends comme des supplications. Les chansons arabes à la radio, leurs sonorités et leurs allégories me plaisent. On y parle toujours d'amour, de désert, de lune et d'espoir.

Durant mes premiers voyages, les disques français tournaient à la radio, mais il y avait aussi les chansons arabes... entendre ces voix féminines, ces lamentations ! Ça m'a toujours envoûté tout comme les voix des femmes berbères. J'adore le caractère maghrébin à cause de cette forte, cette puissante culture qui semble à l'abri des coups provenant de l'extérieur. L'est-elle vraiment ?

❋

En 1969, j'étais entré dans ce pays avec des yeux naïfs de non-initié. Je n'avais pas les interrogations d'un journaliste d'expérience. En 2003, j'ai lu des douzaines de livres et je suis mieux informé. Je suis conscient. J'ai une bonne connaissance de la guerre d'Algérie et je sais que la Tunisie jouait dans les pattes de la France pendant cette période. Je sais aussi que l'État tunisien est pris comme tampon dans la grande turbulence des revendications palestiniennes. Les bombes qui ont sauté au quartier général de l'OLP, était-ce le Mossad qui venait pour y exécuter des Palestiniens ?

Je me fais dire que ce n'est pas approprié d'aborder ces questions-là. On m'a invité pour faire connaître le charme tunisien qu'elle a à offrir. Je me résous à ne pas aller plus loin. Je cesse de poser des questions.

De toute façon, son volet touristique vaut la peine d'être découvert. Ne serait-ce que pour le désert. Même si on a peur, qu'on se sent trop vieux pour une excursion sur cette mer de sable, il faut au moins y faire une balade d'un jour.

Il est important de découvrir la cuisine. Aujourd'hui, contrairement à 1969, on trouve de grands restaurants, de la grande cuisine. Essayer au moins une fois le fameux pigeon, un mets mariné, très parfumé que l'on mange avec les doigts, est une expérience unique. Après, il sera toujours temps de retourner à une cuisine plus traditionnelle. Beaucoup de plats sont à base de mouton, mais on propose également de la chèvre et du poisson comme dans tout le Maghreb.

Un jour, on nous a amenés dans un casse-croûte local, pour nous faire goûter à une galette farcie de viande de mouton et de moutarde locale. Une petite opération de séduction sympathique, bien plus qu'une expérience culinaire. Je n'ai pu faire autrement que de me rappeler mon passage avec ma belle Marie-Claire, sans le sou, en 1969...

Pour ceux qui n'aiment pas sortir des sentiers battus, il y a l'alternative de la cuisine internationale, qui est souvent française.

De tous les pays du Maghreb, je trouve que la Tunisie est le plus européanisée. La mode contribue à cette image. J'explique cette impression, d'abord par l'envahissement touristique des Italiens, des Français et des Allemands. Ensuite, par l'apprentissage des langues européennes, ce qui a favorisé les échanges commerciaux, surtout dans l'axe Tunis – Carthage, et sud de l'Europe. Les échanges y sont intenses, la Tunisie est à proximité de Malte, cette île tout près de l'Italie, qui ouvre la porte au reste de l'Europe.

La France n'a quitté la Tunisie qu'en 1956. Son influence s'est maintenue grâce au réseau de lycées et aux universités où le français est encore présent, mais pour combien de temps? Ce rayonnement s'explique par le fait que le président Bourguiba était assez francophile.

Quand j'exprime mon étonnement et mon plaisir à entendre des Tunisiens parler français, on me dit :

– « *La France est une grande puissance, vous savez. On a été lié à elle longtemps. Elle nous a occupés, mais nous a laissé un bel héritage. Maintenant nous sommes des amis. Nous avons de bonnes relations. La France est importante. Regardez nos équipements militaires, nos avions, des Mirages.* »

Cette réponse me fait du bien, elle flatte la fierté que j'éprouve de parler français, mais je sais aussi que la langue de la mondialisation s'impose petit à petit… Peut-être suis-je trop habitué à vivre dans un pays où l'on prend plaisir à rapetisser la France ? Ça me désole qu'au Québec, on ne voie que les États-Unis. Pourtant, le Maghreb et toute l'Afrique francophone reconnaissent en la France, à condition qu'elle demeure en tête du palmarès, une autre puissance dont Paris est l'équivalent de ce que Washington représente en Amérique.

Moi, francophone d'Amérique du Nord, qui suis envahi par une autre culture, je rêve du jour où nous donnerons à ma langue maternelle plus de place pour s'épanouir, tout en tenant compte de la mondialisation.

Au Maghreb, j'ai pris conscience de l'importance de la France dans le monde. Avec le temps, je suis devenu un grand francophile, puis un colonisé et finalement un admirateur de la France. Au fur et à mesure de ce cheminement, je comprends toute la politique de grandeur propagée par Charles de Gaulle et diluée par la faiblesse qui s'est emparée de l'Hexagone par la suite.

Le visage partiellement francophone de la Tunisie me plaît. Il est intéressant de comprendre comment la langue française est parvenue à se frayer une place sur ce territoire, sans acculturer le peuple tunisien. L'Empire français est celui d'Alexandre le Grand, l'Empire américain, celui des Romains. Cela signifie que les Américains entrent dans un pays et imposent leur vision du monde sans tenir compte des particularités, comme le faisaient les Romains. Alors qu'en Tunisie, la culture française a germé en tenant compte des us et coutumes de la population et de l'architecture existante, à la manière dont Alexandre le Grand a conquis son empire. La France a apporté avec elle, la philosophie des lumières. Des lycées et des universités pour l'instruction, des hôpitaux pour l'avancement des sciences de la santé. Elle a contribué à l'amélioration de l'hygiène et à l'allongement de l'espérance de vie. N'a-t-elle pas aidé à presque éliminer le trachome, cette maladie des vents ? La modernisation des moyens de communication fait partie de ces apports.

Bien sûr, il y avait du colonialisme derrière tout cela. La France est entrée aisément en sol tunisien. Pourquoi ? L'archaïsme a été confronté à la modernité. L'armée française, bien équipée, a rapidement vaincu les troupes arabes qui n'avaient que des chevaux et des armes désuètes. La France offre alors un protectorat en invoquant sa capacité à maintenir la paix sur ce territoire : « Il y a beaucoup de discorde entre vos tribus et vos voisins. Par conséquent, avec notre armée, nous pouvons vous protéger. » Bref, c'est l'Empire britannique qui a éveillé la France à en établir un semblable.

La France leur offrait sa protection, tout en dominant et en installant des colons pour aménager les orangeraies, ce qui permettait à ceux-ci de s'enrichir. Les leaders tunisiens ont collaboré et les Français ont assumé leur rôle durant quatre-vingt-dix ans, bien avant l'arrivée de Bourguiba au pouvoir. Je crois que tout ce contexte explique que l'indépendance s'est faite sans trop de douleur. Les seuls accrochages survenus durant cette transition se résument à quelques détails. Les Français possédaient une base maritime à Bizerte. Là, il y a eu quelques échauffourées sans conséquence, des coups de fusil échangés entre l'armée française et les Tunisiens. Il n'en fallut pas plus pour que l'indépendance leur soit acquise.

❋

J'aime ce pays et son avenir ne me laisse pas indifférent. À la lumière des récents soubresauts politiques qu'il a connus sur la scène internationale, on peut se demander ce qui va lui arriver ?

Je ne crois pas qu'il court au malheur, étant donné qu'il appartient à une culture massive. Dans cinquante ans, la Tunisie fera probablement partie du groupe des cinq grandes langues dominantes, soit l'arabe, le chinois, le russe, l'espagnol et l'anglais. Comme les autres pays du Maghreb, la terre tunisienne sera protégée par une religion et par une langue difficilement accessibles.

En fait, il y a peu de chance que ce petit pays soit englouti par un plus grand bloc culturel. La mentalité dans les pays arabes est tellement individualiste, tellement anarchique, qu'il n'y aura pas d'unification. Est-ce dû à la géographie qui change tellement d'une région à l'autre, ou d'un pays à l'autre ? Pourtant la plupart de ces contrées partagent le désert.

En Tunisie comme ailleurs au Maghreb, c'est celui qui parle le plus fort qui va prendre le pouvoir. Après avoir fait tomber leur président voleur, je ne sais pas quelle sorte de démocratie les contestataires mettront en place. Un régime autoritaire ? Une démocratie médiocre comme la nôtre où on est toujours à l'heure des moratoires, de l'attentisme et des sondages qui font que l'on n'agit pas ? Les Tunisiens ne peuvent pas se le permettre.

Je leur souhaite une démocratie dirigiste à la de Gaulle ! Une démocratie du genre :

– « *Voici mon programme. Élisez-moi et ne venez plus me déranger. Tout est dans mon programme et c'est ce que nous allons faire. Si nous ne le faisons pas, vous nous limogerez.* »

Un jour, j'avais lancé une blague à Robert Bourassa, ancien premier ministre du Québec.

– « *Vous savez quelle différence il y a entre une dictature et une sociale médiocratie comme celle que vous dirigez ?* »

Avec un sourire, il me répondit non.

– « *Dans une dictature, c'est :* "Ferme ta gueule, c'est moi qui mène". *Dans une sociale médiocratie c'est :* "Gueule tant que tu veux, c'est moi qui décide". »

Il en avait bien ri.

Sur ce petit territoire tunisien de près de onze millions d'habitants, une démocratie dirigiste serait d'après moi, le seul salut. Autrement, des mouvements fanatiques ou Al-Qaïda risquent de noyauter tout cela. Les poches de pauvreté où se trouvent des gens facilement influençables, en raison de leur faible taux d'alphabétisation, pourraient devenir un terreau fertile pour des organisations terroristes.

D'autre part, la Tunisie n'a pas de pétrole. Son poids, à ce chapitre, n'est pas aussi fort que celui de la Libye par exemple. Par contre, les Tunisiens peuvent compter sur une bonne agriculture et une industrie vacancière très développée. Leur culture européenne largement influencée par la France attire nécessairement les Européens. Les Tunisiens profiteront toujours de cet important bassin de population qui déverse des deniers dans leurs coffres.

Du point de vue écologique, son territoire en est un vert et blond. Il n'y a pas de grandes industries. Il est agricole et désertique, donc très peu pollué.

❃

La Tunisie aura été le pays de mon initiation au monde arabe et au Maghreb, ma porte d'entrée dans l'univers de l'Afrique du Nord. J'en ai été ébloui au point de me dire : « Il faut que je revienne. »

J'y aurai appris à laisser de côté mes susceptibilités, mes schèmes de référence. J'y ai découvert l'hospitalité et la gentillesse. Depuis, quand j'aborde un nouveau pays, je prends cette attitude. Je pense d'ailleurs que c'est la meilleure.

La Tunisie aura été un déclencheur. Ce pays a attisé ma curiosité pour les contrées lointaines. Avant de débarquer en Tunisie, Paris, Londres ou les États-Unis étaient pour moi, la fin du monde. Après, je voulais découvrir l'Afrique, l'Amérique latine, les pôles Nord et Sud. Je voulais rencontrer les tribus que j'avais vues dans les documentaires du commandant Coustaud. La Tunisie m'a donné la piqûre du voyage.

Plus encore, la Tunise fut ma rencontre avec le désert. À Douz, je suis devenu amoureux du Sahara. Je pense que, sur cette immense nappe de sable, le monde est uni. Il n'y a plus de chiites ou de sunnites, de mosquées rondes, carrées ou octogonales. Ce que je vois dans ces dunes, c'est l'unité.

Algérie

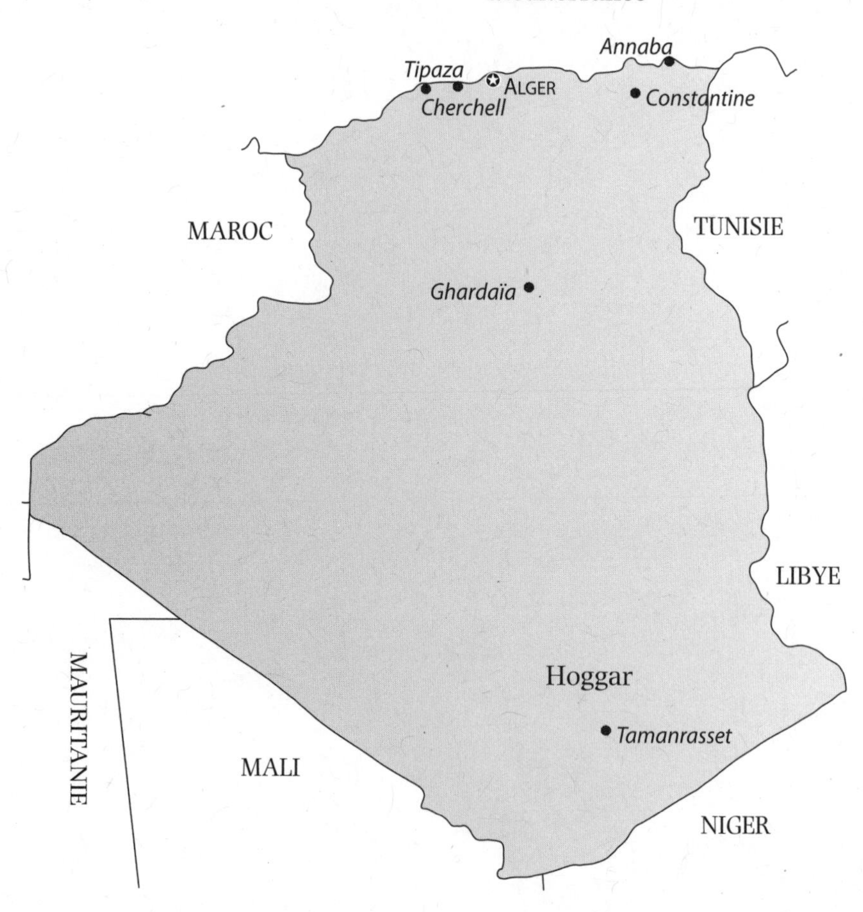

Méditerranée
Annaba
Tipaza
ALGER
Cherchell
Constantine
MAROC
TUNISIE
Ghardaïa
LIBYE
Hoggar
Tamanrasset
MAURITANIE
MALI
NIGER

Algérie

Le voyage en train et l'arrivée à Alger

En décembre 1969, après avoir passé un temps trop court en Tunisie, Marie-Claire avait proposé que nous poursuivions notre périple improvisé du côté de l'Algérie. En regardant une carte géographique, il semblait bien que cela valait la peine de longer la côte de l'Afrique du Nord jusqu'au Maroc, pour ensuite entrer en Espagne et revenir en France. En un mot, notre trajet formerait une espèce de boucle. L'idée était logique, mais j'étais un peu réticent. Je venais à peine de me familiariser avec l'univers un peu mystérieux du monde arabe où je commençais à me sentir à l'aise, que, déjà, mon Acadienne voulait nous plonger dans une autre aventure.

J'hésitais à me hasarder au cœur d'un pays qui tentait encore de panser ses blessures d'indépendance. Il m'était difficile d'évaluer le degré de ressentiment que le peuple algérien nourrissait à l'égard de la France. Après tout, l'armée française s'était retirée du pays le 5 juillet 1962, seulement sept ans auparavant. Il y avait eu un million de personnes déracinées et bien des blessures risquaient de ne pas être encore cicatrisées. Ma compagne, par sa curiosité, m'incitait à satisfaire la mienne. J'avoue que j'étais très attiré. La tentation était forte pour moi de découvrir l'Algérie.

❃

Après deux heures d'autocar, depuis Tunis, nous arrivons à la frontière du pays voisin. Dans un petit hameau, on nous fait descendre du véhicule. Nous devons continuer notre chemin à pied. Après avoir passé le poste frontalier tunisien, nous nous retrouvons dans un no man's land. Le poste frontalier algérien se situe à quelques centaines de mètres devant nous.

Cette zone intermédiaire ressemblait un peu à ce qui se passait entre Berlin-Est et Berlin-Ouest… Nous étions bien loin de l'immense douane de Saint-Bernard-de-Lacolle, avec toutes ses installations modernes où, du Canada, après quelques mètres à peine, on entre chez nos voisins du Sud.

À ce moment je me rends compte, innocent que j'étais, que je me présentais à la frontière algérienne avec, sur le dos, un froc militaire acheté au marché aux puces à Paris. Ce manteau de l'armée française arborait, bien en vue le drapeau bleu, blanc et rouge. Pour me rassurer, je me disais qu'il y avait eu les accords d'Évian et que l'indépendance était acquise… Je me sentais un peu comme ces insignifiants de Dupont et Dupond, ou comme Tintin ayant perdu son auréole de fin reporter.

Heureusement au poste frontalier algérien, les douaniers parlent français. Nous n'avons aucun visa. Nous leur présentons nos passeports canadiens, ils les tamponnent et sans plus de formalité, nous autorisent à passer… malgré mon accoutrement. En fait, ils sont très gentils. Avant de partir, nous leur demandons :

– «*Est-ce qu'il y a un hôtel dans les environs?*»

– «*À quelques kilomètres…* »

Nous sommes à pied, sans aucun moyen de transport en vue. Nous marchons afin de trouver un hôtel, un arrêt d'autobus ou une gare de train. Le terrain devient de plus en plus montagneux et, comme nous sommes à la fin de décembre, il fait froid. Sans compter qu'en fin de journée, la lumière tombe rapidement. Quand j'y repense aujourd'hui, je réalise à quel point j'étais dangereusement naïf. Déboucher au milieu de nulle part, sans ressources, sans connaissances, qui plus est avec une jeune fille que je ne connaissais pas beaucoup ! Témérité ? Insouciance ? Encore aujourd'hui je ne saurais le dire.

Tout à coup, surgissant de nulle part, des gyrophares bleus. C'est la police frontalière. Léger moment d'inquiétude… Mais, non ! Pas de problème. Les douaniers du poste frontière qui venaient de nous accueillir avaient averti la patrouille. Très gentiment, les gendarmes nous accueillent à bord de leur véhicule.

– « *Qu'est-ce que vous faites là ? Vous arrivez dans les Atlas. Vous ne savez donc pas qu'il y a des sangliers et qu'ils peuvent vous charger ! C'est dangereux.* »

Ils n'ont pas besoin d'argumenter très longtemps pour nous convaincre d'accepter leur aide. Bien escortés, nous roulons un bon moment. Par la fenêtre, nous voyions défiler un paysage démesuré, composé de montagnes dénudées et d'arbres brûlés par le dernier été. La nuit tombe. L'azur disparaît et le froid s'installe. Je me demande ce que nous sommes venus faire ici ? Marie-Claire me fait part de son insécurité. Elle met en cause son excès de curiosité. Je tente de la rassurer, tout en avançant moi-même dans l'incertitude. Pour ma part, je suis motivé par la soif de savoir. On dit que les gens qui ont le nez pointu sont curieux ! Toutefois, j'ai aussi d'autres raisons de continuer.

Dans la vingtaine, en 1961 plus précisément, j'avais tenté d'aller en Algérie alors que le pays était en pleine guerre. Bien qu'étant sympathique à l'indépendance du Québec, je ne comprenais pas l'attitude hostile des nôtres à l'égard de notre mère patrie qui tentait de protéger sa présence en Afrique du Nord. Néanmoins j'étais un vrai « colonisé » de la France. Plus tard, les « virages » du général de Gaulle face à l'Algérie me laisseraient totalement perplexe. Aux journaux télévisés, je voyais notamment des images de l'armée française, du Front de libération nationale (FLN), un parti politique socialiste algérien et de l'Organisation de l'armée secrète (OAS), un mouvement français politico-militaire clandestin. À l'époque, j'avais un statut de reporter photographe professionnel, car j'étais attaché à temps partiel à un studio de photographie à Verdun. Comme je n'avais aucun travail en vue, j'étais allé au consulat français pour m'enrégimenter dans leur armée… comme reporter photographe, bien entendu. Je me voyais déjà assis sur le bord de la portière d'un hélicoptère en train de prendre des photos. Quel rêveur je faisais ! J'avais été très bien reçu par une diplomate. Je lui avais fait part de mon goût de l'aventure, de mon désir de vivre cette expérience en Algérie et de découvrir ce pays si fascinant, tout en y travaillant. Malheureusement, ma candidature avait été refusée. Ce que j'ignorais, mais que le personnel en place savait, c'était que la guerre tirait à sa fin et que des négociations secrètes se poursuivaient à Évian.

Effectivement, quelques mois plus tard, c'était la fin de l'Algérie française et des pieds-noirs. Ces derniers avaient le choix entre la valise ou le cercueil. Ils seront plus d'un million à quitter cette terre française du Maghreb pour retourner, bien malgré eux, en France. Certains viendront s'installer au Québec.

En 2001, je visionnais le fameux film du pied-noir Alexandre Arcady, *Là-bas... mon pays*. Ce film d'aventure témoignait de ses amours de jeunesse avec une belle Arabe. Je mesurais toute la douleur de ces Français qui avaient été déracinés après 130 ans de présence en ce pays.

Si j'avais pu me rendre en Algérie avec l'armée française, j'imagine que cela aurait été une épreuve très difficile. Je pense aussi que cela aurait sûrement été une expérience enrichissante, voire absolument éblouissante. Une rencontre émouvante avec l'histoire. J'aurais aimé participer à l'écriture d'une page d'histoire ; vivre avec cette armée pendant un an ou deux. J'aurais été témoin du chialage des militaires conscrits de force ou des autres, patriotiquement engagés. J'aurais mieux compris la contestation, les divisions au sein de la société française. J'aurais peut-être saisi plus tôt que ce sont souvent les partis politiques qui font perdre les guerres aux armées. La « gaugauche » a fait perdre l'Algérie à la France. Ce fut la même situation pour les Américains engagés dans la guerre du Vietnam. En 1973, j'irai le constater en parcourant ce pays.

Il est probable que, quelques années plus tard, avec la montée de la gauche au Québec, j'aurais été étiqueté comme une espèce de fasciste pour m'être inscrit chez les envahisseurs coloniaux français en territoire algérien.

Pendant la période de décolonisation, les pieds-noirs ont dû abandonner leurs possessions. Ce fut l'opinion mondiale qui, en 1961 et 1962, sortit la France de l'Algérie. Le président Charles de Gaulle céda sous la pression internationale, l'Égypte, l'Union soviétique, la Grande-Bretagne et Washington s'étant ligués contre lui. Sans compter que les Anglais, jaloux, souhaitaient que les Français démantèlent leur empire. Bien des jeux stratégiques se déroulèrent sur la grande carte de la décolonisation à cette époque.

En 1942, quand les Anglais et les Américains débarquèrent à Alger pour libérer l'Afrique du Nord des Italiens et des nazis, ils en avaient profité pour saboter l'autorité coloniale française :

– « *Votre situation politique n'a pas de bon sens…* », disaient-ils aux Arabes.

Ils firent la même chose durant la guerre d'Indochine quand la France s'écroula à la bataille de Diên Biên Phu. Il y avait alors des Algériens dans l'armée française. Les Vietnamiens communistes leur dirent:

– « *Comment se fait-il que vous, Algériens, vous supportiez des coloniaux chez vous, puis que vous veniez nous combattre ?* »

Tous ces faits avaient remué un bouillon politique de contestation. D'un côté, de Gaulle était contesté par l'OAS et les pieds-noirs. D'autre part, le fait de maintenir les infrastructures algériennes coûtait des milliards à la France et ne lui rapportait pas suffisamment. De plus, le général de Gaulle venait de décoloniser toute l'Afrique noire, et les pressions internationales s'accentuaient concernant l'Algérie. De Gaulle décida donc de consacrer son budget à la modernisation de la métropole et surtout de doter l'armée française de l'arme nucléaire. D'ailleurs, à partir de ce moment, la France fera des essais nucléaires dans le désert du Hoggar, en plein Sahara, dans le grand sud algérien. En bon militaire qu'il était, de Gaule a pratiqué un repli stratégique en se retirant de ce pays pour améliorer sa position politique au plan international, tout en y conservant certains privilèges.

Je comprends aujourd'hui pourquoi je n'avais pu entrer dans l'armée française à ce moment charnière de l'histoire. Je n'étais qu'un petit grain de sable au centre d'une machine infernale…

Je reviens à 1969, au moment où je suis là en compagnie de Marie-Claire. Je sais que la frontière entre la Tunisie et l'Algérie est une zone dangereuse. J'essaye donc de rester calme. Le véhicule de la police frontalière nous amène à un autre poste de contrôle. Un militaire, qui porte une moustache à la Charlie Chaplin, nous accueille. Tout de suite, je sors nos passeports canadiens, à l'époque un des plus respectés dans le monde. Pour m'attirer la sympathie de l'officier, je proclame que nous sommes des Français du

Canada, des citoyens du Québec. Immédiatement, il me parle du président français de Gaulle et de l'admiration qu'il en a. Pour lui, ce général a donné l'indépendance aux Algériens. Environ trois ans auparavant, Charles de Gaulle avait lancé du balcon de l'Hôtel de Ville de Montréal son fameux «*Vive le Québec libre!*». Quelle surprise quand l'officier algérien déclare spontanément:

– «*De Gaulle vous l'a dit. Ne tardez pas trop pour faire l'indépendance, sinon vous n'y arriverez jamais.*»

Quel visionnaire extraordinaire! Il ne s'était pas trompé. L'histoire lui donnera raison. Il semble que bien des Québécois n'aient pas compris la question sur le bulletin référendaire de 1980...

La scène est surréaliste! Si loin, dans les bois des Atlas, faire cette rencontre des plus improbables avec un homme qui a une opinion bien arrêtée sur la situation politique de mon propre pays! Je suis réellement étonné. Quelqu'un d'aussi bien renseigné et pourtant si loin du Québec. Il est plus au courant de nos arcanes politiques que ne le sont la plupart des gens de chez nous.

Après ce petit cours de politique, il me dit:

– «*Il y a des coopérants français qui passent ici dans quelques minutes. Je vais leur demander de vous prendre et de vous emmener à la prochaine grande ville.*»

Au bout de quelques minutes, une voiture arrive avec à son bord un couple. Un des policiers leur demande:

– «*Où allez-vous?*»

– «*À Constantine.*»

– «*Constantine, c'est passablement sur votre chemin si vous voulez aller à Alger. Peut-être que vous pourriez prendre le train dans cette ville?*», nous dit le policier.

Après avoir salué tout le monde, nous embarquons pour une «balade» sur un chemin montagneux, tortueux, en pleine noirceur. Notre chauffeur annonce que le trajet jusqu'à Constantine prendra deux heures. Tout ce que je sais de cette ville, c'est qu'Enrico Macias y a été professeur et qu'à la fin de la guerre il a dû, comme un million de pieds-noirs, tout abandonner et partir. D'ailleurs, ne le chante-t-il pas dans son répertoire ?

Maintenant en compagnie de ces deux Français, nous nous sentons en sécurité. Ces coopérants, deux professeurs, sont là pour deux ou trois ans. Lui enseigne l'histoire de l'Antiquité. Nous parlons beaucoup de coopération. Malgré bien des déchirements, ce pays a maintenu son désir de continuer à donner une éducation française à ses ressortissants. Voilà pourquoi, il y a encore beaucoup de profs français en 1969. Au lieu de faire leur service militaire en France, ces personnes continuent de servir leur patrie au titre de la coopération.

En chemin, l'homme nous parle de toute la richesse à admirer le long de la côte méditerranéenne algérienne. Il rappelle les traces laissées par Octave, le vainqueur de Cléopâtre et Marc-Antoine, dans les petites villes comme Tipaza et Cherchell. Il s'emballe quand il aborde l'histoire des Phéniciens. Durant tout le trajet, le membre du corps professoral nous remplit la tête de toute cette riche culture historique qui appartient à cette belle nation.

Arrivés à Constantine, ces enseignants nous déposent en nous disant :

– « *Voici la gare. Le train pour Alger s'arrête ici. Je ne connais pas l'horaire, mais il devrait y en avoir un qui s'arrête.* »

Nous remercions nos bons samaritains qui rentrent à leur domicile.

Il est entre vingt et vingt et une heures. Tout est fermé. Le dernier vient de partir. Sur une pancarte on lit : « Prochain train, demain à 9 h ». L'attente va être longue !

Il fait froid et il se met à pleuvoir. Je viens de débarquer dans cette ville d'Afrique du Nord avec une belle fille habillée à l'occidentale et moi portant une vareuse militaire… Nous décidons de nous réfugier dans un casse-croûte, qu'on appelle ici, un bouiboui. Il n'y a là que des hommes, pas une seule femme. Comme en Tunisie, celles-ci sortent le jour, rarement le soir. Ici, c'est encore plus frappant.

Les Algériens, avec une insistance gênante, dévisagent la femme qui se tient à mes côtés. Nous sommes zieutés au point d'en être mal à l'aise. Après avoir mangé un couscous maison, nous consultons l'heure. Il nous reste à peu près dix heures d'attente avant le départ du train pour la capitale !

Nous retournons à la gare. Il n'y a aucun hôtel dans les environs. Selon les renseignements obtenus, il nous faudrait marcher dans les rues obscures sur plusieurs kilomètres. Or, depuis la sortie du bouiboui, nous sommes suivis par une horde de jeunes en djellaba. Pour eux, nous sommes une attraction, une distraction. Ils nous suivent en murmurant. Les jeunes nous observent comme si nous étions des « revenants », des survivants d'une autre époque. La situation est peu rassurante. Tout à coup, je fais la relation : ma fameuse vareuse de l'armée française doit les indisposer. Comme je voyage très léger, je n'ai pas d'autres vêtements. Je voyage à l'étudiante et je n'ai pas les moyens de m'acheter une djellaba ! Je me mets donc à parler avec mon accent québécois pour bien leur faire comprendre que je ne suis pas Français. Je veux leur transmettre le message que je ne suis pas un mercenaire venu dans leur pays pour libérer les prisonniers de l'armée française.

Nous sentons bien que nous créons de l'inconfort autour de nous. Réflexion faite, nous ne nous aventurerons pas plus loin. Rester près de la gare est notre meilleur choix pour le moment. Cela nous semble plus sécuritaire. Un banc public, situé sous un auvent, devient notre camp de fortune. En décembre, en Algérie, il fait froid et humide ! Notre situation est donc inconfortable.

Après un long moment, nos observateurs commencent à s'adresser à nous… en français. Nous parlons de choses et d'autres, mais de façon très sommaire. Nous tentons de nous réchauffer un peu, dans ma vareuse, en nous serrant l'un contre l'autre. Très fatigués, nous somnolons dans les moments sans dialogues. Je n'en reviens pas du stoïcisme avec lequel ma belle Acadienne aborde toutes ces contraintes. Finalement, vers une heure du matin, le groupe d'observateurs, rattrapé par la fatigue, cesse de nous épier et s'en va. Nous finissons par dormir un peu.

⁂

Après cette horrible nuit, la suite du voyage n'est pas non plus de tout repos. Au matin, nous prenons le train qui longe la mer. Nous sommes émerveillés devant les très nombreuses ruines romaines qui défilent devant nos yeux. Ce sont des merveilles. Le professeur coopérant d'hier avait raison. Nous voyageons toute la journée à bord d'un vieux train français que les Algériens réutilisent. Ils continuent de se servir des infrastructures laissées en place au moment de l'indépendance.

Le convoi s'arrête souvent. La plupart du temps, les gares se situent au centre des villes ou des villages. Dans chaque patelin des gens débarquent, d'autres embarquent et, au coup de sifflet, le train repart. Les passagers sur les banquettes autour de nous changent constamment. Pour nous, c'est un grand voyage. Quelques personnes un peu plus instruites et occidentalisées nous parlent. Elles nous demandent :

– « *D'où venez-vous ? Qui êtes-vous ?* »

Nous leur répondons, nous entretenons des conversations. Elles sont très agréables, ouvertes. Plus réceptives que les jeunes rencontrés la veille dans Constantine.

Je leur demande ce qu'ils font :

– « *Je suis fonctionnaire* », « *Je suis professeur* »... répondent-ils.

Les gens qui sont les plus contents d'échanger des idées sont généralement les plus scolarisés. Ils nous demandent des nouvelles de la France et du Canada.

Quand la conservation dure un certain temps et qu'elle devient plus décontractée, invariablement, on me demande si je suis marié avec la femme qui m'accompagne. Pour eux, c'est important. Je leur réponds :

– « *C'est ma fiancée.* »

– « *Vous allez la marier ?* »

Pour moi, ce sont des questions personnelles, intimes, mais pour eux, c'est normal de les poser. Pour moi, l'Occidental, je ressens ces questions comme des intrusions. Je réponds à la blague:

– « *Oui, oui, j'espère bien. Si elle veut ! Je veux la marier demain…* »

Je comprends qu'en quelque sorte, ils veulent s'assurer que je suis un homme honnête, intègre. Que je ne suis pas un de ces vagabonds qui profite d'une gitane. Ces questionnements sont inusités pour moi. Toutefois, si je me transpose dans la mentalité algérienne, c'est tout à fait normal. Autre culture, autres comportements, autres mœurs.

Nous faisons un arrêt dans la ville d'Annaba, centre de rayonnement de la pensée théologique de saint Augustin à l'Antiquité. Le saint homme, qui n'a pas toujours été un saint, y fut évêque de 396 à 430. La cathédrale qui lui est dédiée n'est presque plus fréquentée.

En attente sur le quai, j'examine de loin des employés dans leur uniforme de l'époque de la Société nationale des chemins de fer français en Algérie. Ne les entendant pas parler, leurs coups de sifflet me ramènent avant 1962. Ce n'est qu'en côtoyant une civilisation qu'on peut commencer à la comprendre.

Certains voyageurs locaux descendent dans un bled, d'autres plus loin. Je repère des pancartes sur lesquelles d'anciennes désignations françaises ont été effacées pour être remplacées par des noms arabes. Voilà qui fait naître en moi une certaine nostalgie. Je me dis : « Ah ! La France, qui a perdu tout ça. » L'ancienne présence française se fait sentir beaucoup plus dans les villes qu'en milieu rural. Les imposants bâtiments administratifs, marques du Troisième Empire, témoignent de l'époque coloniale.

Au fil des montées et des descentes, les conversations changent. Les gens viennent à nous. Nous attisons leur curiosité, leur goût de nous rencontrer. Même si nos échanges sont parfois très limités, nous parlons beaucoup du Québec et du général de Gaulle.

Dans les moments d'accalmie, nous voyons défiler de magnifiques paysages. D'un côté de la voie ferrée, la mer, très bleue, et les ruines romaines. De l'autre, la campagne. Dans les champs, les gens labourent avec des équipements aratoires appartenant à une époque révolue chez nous. Habillés de leurs djellabas, ils se déplacent à dos d'âne. Un paysage millénaire défile devant nos yeux. Cela me fait penser que, même si nous sommes au XXe siècle et en pleine pseudomodernité, celle-ci n'a pas encore atteint ces régions rurales. Cette vie champêtre correspond à l'image que je me faisais de ce pays avant de le visiter.

*

Après douze heures de voyage, à la tombée du jour, nous voici dans la capitale, Alger la Blanche comme les Français l'appellent. Nous découvrons qu'elle est plutôt, Alger la Grise. La négligence dans l'entretien des bâtisses saute aux yeux. Malgré cela, nous avons l'impression de pénétrer dans une ville majestueuse, construite sur une pente où s'étale la casbah. Nous nous imaginons que, du haut de la colline, la vue sur la Méditerranée doit être imprenable. En dépit de l'heure tardive, nous voyons bien qu'elle a déjà été une splendeur, une très belle ville. Les Français avaient le don de choisir des lieux géographiques uniques.

La gare centrale, située au cœur de la cité, jouxte le port. Les mouvements y sont incessants, des bateaux arrivant et repartant de toutes les destinations. Sur les quais s'élèvent de nombreux bâtiments administratifs, des édifices de type colonial avec de belles arcades. Ici, les influences des cultures arabo-mauresques et françaises se confrontent. Nul doute, le style est unique !

Arrivés de nuit, nous cherchons désespérément un hôtel. Nous marchons au milieu d'une foule d'hommes, de milliers d'hommes, rien que des hommes… Aucune femme ne croise notre chemin. Où sont-elles ? Je ne comprends pas encore les règles qui imposent cette absence publique des femmes. Est-ce une interprétation de la religion coranique ou une affaire de culture ? Alors, quand quelqu'un comme Marie-Claire marche librement au bras d'un homme en pleine nuit, comme nous le faisons, on l'observe d'un œil inquisiteur… Mon amie de cœur s'accroche à mon bras. Elle a peur ! Un peu comme à Constantine, nous avons la sensation d'être suivis. Des hommes murmurent en arabe derrière notre dos. Je ne comprends pas ce qu'ils disent. Nous apprendrons plus tard qu'il n'est pas admis dans les mœurs algériennes qu'une femme s'agrippe au bras d'un homme.

Il fait nuit. Une pluie très raide tombe, une de ces pluies africaines qui s'abattent en ligne droite, violentes, drues. Nos vêtements sont trempés. Nous avons hâte de nous réchauffer.

Nous allons notre chemin, sous l'œil méfiant des Algérois. Finalement, nous trouvons un hôtel pas trop cher, notre budget d'étudiant ne nous permettant pas plus de confort. En fait, nous dénichons une chambre... minable.

L'hôtelier regarde ma compagne avec un certain mépris, comme si elle était une impie. J'ai l'impression qu'il s'imagine que j'ai loué les services d'une prostituée nord-américaine. C'est très gênant.

Dans notre chambre, il y a seulement un lavabo. Pas de douche, ni de W.-C. Je descends à la réception et demande à l'hôtelier :

– « *Dites donc, où sont les toilettes, le cabinet d'aisance ?* »

– « *Ah, c'est dans le couloir.* »

J'entre dans un cagibi où il y a des toilettes à la turque, des toilettes à pédales. Surpris, je n'étais pas initié à ce genre d'« équipement », je m'écrie :

– « *Y a pas de W.-C. !* »

L'homme me répond :

– « *C'est votre héritage à vous, c'est ce que vous nous avez laissé, les Français.* »

Je rétorque :

– « *Voyons, c'est plutôt turc !* »

– « *Oui, mais quand même, c'est vous qui avez adopté ce genre de W.-C. C'est votre héritage !* », ajoute-t-il en voulant dire : « Arrange-toi avec tes problèmes. »

Décidément, ce n'est pas l'accueil de la Tunisie !

À cette époque, en 1969, il n'y avait pas de touristes. Ici, l'industrie touristique n'existait pas. Ce pays était fermé... à double tour !

Leur attitude envers Marie-Claire et moi était-elle due au fait que les Algériens me voyaient comme un symbole politique ? Est-ce que je passais pour un Français qui revenait les narguer chez eux ? Est-ce ma vareuse représentant les atrocités de la guerre qui les mettait mal à l'aise ? Les gens autour de moi avaient probablement été marqués par cette période trouble de leur histoire.

Leur président de la République algérienne démocratique, Houari Boumédiène, alignait sa politique sur celle de Moscou. Ces rapprochements avec l'URSS avaient alors plus à voir avec l'approvisionnement technologique et l'aide agricole qu'avec le communisme, celui-ci rejetant toutes religions, alors que l'Algérie est profondément musulmane. Le gouvernement de l'époque cultivait aussi la haine envers Paris et la France… L'Algérie était donc un pays très politisé. De plus, plusieurs terroristes, notamment les fameux Carlos et Mesrine, s'y étaient réfugiés.

Tous ces éléments rentraient sûrement en ligne de compte dans l'attitude d'agressivité que les Algériens démontraient à notre égard, et vis-à-vis des étrangers en général. Le lendemain matin, après tant de jours de pluie, voilà que les persiennes usées et défraîchies nous privaient d'un soleil qui venait nous dire bonjour. En les ouvrant, nos regards tombent sur le havre. J'imaginais ces bateaux qui s'amenaient pour déraciner ces pauvres pieds-noirs. Les bruits de la ville transportaient ma mémoire en juillet 1962. Je revoyais ces gens abattus avec de simples valises, dépouillés de leurs biens non transportables, montant la passerelle du navire *Ville d'Alger*, le dernier des derniers à partir pour Marseille. Quelle douleur!

Sorti de ma nostalgie, Marie-Claire, ma passion éphémère, me fait comprendre que son cœur égaré est à la fois avec moi, mais également en France. Bref, entre les deux son cœur balance. Elle sait qu'un amant français, sans doute en furie à cause de sa cavale au bras d'un Québécois, l'attend.

❃

Au cours des jours qui suivent, la pluie reprend du service. Les trombes d'eau sont toutes aussi violentes. Elles durent très longtemps, diminuent d'intensité, puis reprennent. Il y a de très rares accalmies, sans percée de soleil ou presque. C'est une particularité de l'hiver à Alger.

Nous marchons dans des rues qui ressemblent à des couloirs où la lumière est toujours tamisée, grise.

Arrivés à l'entrée de la casbah, nous croisons enfin des femmes… voilées. Il y a quelques étudiantes, très belles, à visages découverts, que je photographie. L'une d'elles est si charmante que je la compare à une grâce totalement pure et juvénile, pas encore prête à affronter la dureté de la vie qui se présente devant elle. Nous n'osons pas aller plus en profondeur tellement cette casbah nous paraît étrange. Et puis, c'est là que l'armée française s'est frottée au FLN.

Ce pays est prometteur. Alors qu'au Québec, la moyenne d'âge est presque de quarante ans, soit celle d'un des pays les plus vieillissants au monde, là-bas elle est de vingt-quatre ans. Au premier coup d'œil, on voit que la jeunesse est omniprésente.

Finalement, en passant trois jours à Alger dans un inconfort quelque peu décourageant, nous ne faisons qu'effleurer l'Algérie. Malgré la « flotte » presque constante, j'ai quand même eu le privilège d'admirer la lune au bras de ma belle. L'énorme rondelle lumineuse nous contemple, compagne de la Terre, si présente dans les incantations de la chanson arabe. Une promenade dans la ville me permet d'admirer l'imposant bureau de la grande poste où les lettres d'aujourd'hui sont acheminées vers des destinations autres que la France. En passant devant le lycée Bugeaud, je vois que la clientèle est totalement différente, ne serait-ce que par l'habillement des jeunes. Plus loin un vieux cinéma à la façade usée avait sans doute fait tourner la tête de plusieurs adeptes de westerns de John Wayne ou de films de Jean Gabin.

J'aurais aimé que nous puissions nous aventurer plus profondément au cœur de la ville qui m'apparaissait très intéressante. Mais le temps nous manquait.

À Paris, il y avait du travail qui m'attendait. Les vacances tiraient à leur fin et nous devions poursuivre notre périple vers le Maroc, avant d'atteindre l'Espagne, puis la France. Je me faisais la promesse de revenir un jour en Algérie.

En fait, j'y reviendrai en 2001, 2002, puis en 2005.

Algérie

La casbah et Notre-Dame d'Afrique

L'Afrique est le berceau de l'humanité et de nombreuses civilisations. Ses terres brûlantes ont vu naître les premiers hommes. En 1983, je suis allé travailler dans l'autre Afrique, au Sénégal, même si la maghrébine m'attire toujours.

Je reviens donc en Algérie en 2001. Ce nouveau voyage me fait découvrir un tout autre pays, différent de celui dont j'avais brièvement levé le voile lors de mon passage, trente-deux ans auparavant.

Cette fois, j'entreprends un grand tour de l'Afrique que je fais avec un de mes amis, Normand Guérette, caméraman à *Canal Évasion*. Il veut aller au Sénégal voir sa fille, avant de se rendre en Afrique du Sud, au Zimbabwe et en Tanzanie. J'accepte de l'accompagner à condition que nous fassions une halte en Algérie.

– «*Je n'y suis jamais allé. Cela m'intéresse*», me répondit-il.

Sur un parcours d'une durée de cinquante jours sur ce continent, nous séjournerons une semaine dans le plus grand État du Maghreb.

Après toutes ces années, je redécouvre un pays désormais méfiant. Mon ami Guérette a déjà reçu son visa. En ce qui me concerne, mon passeport a été déposé au consulat général d'Algérie à Montréal dans le but d'obtenir le mien. Toutefois, le moment de notre départ approche et je n'ai toujours pas le précieux document! Inquiet, Guérette me demande:

– «*Est-ce que tu as reçu ton visa?*»

– «*Non, je commence à trouver cette situation bizarre.*»

Le jour même, je mentionne sur les ondes que je pars en voyage et j'indique que je commencerais mon périple par Alger. Le lendemain, un samedi, à la maison, je reçois un étrange appel du consul algérien :

– « *Est-ce que vous êtes bien Gilles Proulx, l'animateur qui sévit sur les ondes de* CKAC *au* Journal du midi *et qui n'a pas la langue dans sa poche ?* »

– « *Euh!... Oui, oui ?* »

– « *Pourquoi voulez-vous vous rendre en Algérie ?* »

– « *Je suis un amant de la francophonie et du Maghreb. J'aimerais revoir ce pays que j'ai visité il y a plus de 30 ans. Lors de mon dernier voyage, je l'ai juste effleuré.* »

– « *Très bien. Vous aurez votre visa* », me répond-il très gentiment.

Cependant, une fois arrivé à l'aéroport Houari Boumédiène, l'ancienne aérogare française, ce n'est plus la même gentillesse affable. Nous traversons six contrôles avant d'atteindre le carrousel. Je compose avec un autre type d'obstacles qu'à mon premier voyage. Le regard des gens, cette fois-ci, n'a rien à voir avec l'ignorance ou la méconnaissance. Je dois affronter les tracasseries des autorités officielles !

Une fois passées les zones de contrôles, près des carrousels de bagages, une fille m'attend. Elle porte une pancarte où je lis mon nom : « Monsieur Gilles Proulx ». Tout de suite, je me dis : « Comment se fait-il qu'elle m'attende ? » Je me présente à elle.

– « *Bonjour, Monsieur Proulx. Vous êtes un VIP ici. Le directeur de l'aérogare veut vous rencontrer. Veuillez nous suivre.* »

Sur le coup, je ne comprends pas ce qui m'arrive, mais je lui emboîte le pas jusque dans les bureaux. Là, on me sert un café et le directeur commence à discuter avec moi.

– « *Qu'est-ce que vous venez faire en Algérie ?* »

– « *Je suis un amant de votre beau pays. J'aime aller partout où la France est passée. Je suis un colonisé de la France. Je veux voir votre pays, et toute sa richesse historique et culturelle...* »

La discussion s'étire et je prends conscience qu'au cours de la conversation, à trois ou quatre reprises, le directeur me demande :

– « *Avez-vous une caméra ? Avez-vous une enregistreuse ?* »

Je réalise qu'ils m'ont fait venir dans ce bureau pour vérifier si je suis en Algérie pour interviewer des contestataires du régime. Les autorités veulent s'assurer que, durant mon séjour, je n'amasse pas du matériel pour préparer une émission où j'aurais pu les apostropher, une fois rentré à Montréal.

Finalement, on me libère et nous retournons au carrousel pour récupérer nos bagages. La valise de Guérette, qui m'a accompagné tout ce temps-là, tourne sur le carrousel, mais pas la mienne.

Tout d'un coup je me sens plongé dans *Là-bas... mon pays*, le long métrage d'Alexandre Arcady. Au début du film, Pierre Nivel, journaliste de renom et animateur d'un téléjournal à Paris, arrive à Alger, où ses bagages se sont volatilisés. Je vis exactement la même histoire. Voilà pour le personnage VIP que je devais être. C'était facile de comprendre qu'une télécopie envoyée de Montréal avait dû prévenir les autorités à Alger que j'étais bel et bien le pamphlétaire de la radio, le contestataire du système et, par conséquent, qu'on devait s'assurer que je n'avais pas de matériel d'enregistrement.

Pour expliquer toute cette suspicion, il faut souligner qu'une dizaine d'années plus tôt, le Front islamique du salut (FIS), une formation politique militant pour la création d'un État islamique, avait gagné les élections. Celles-ci avaient été annulées, ce qui avait déclenché une guerre civile. En 2001, si elle était sur le point de se terminer, il y avait encore énormément de tension. Encore une fois, je me retrouvais au milieu de la « bouilloire » politique.

Aujourd'hui, je reste persuadé que les autorités, ne trouvant pas de matériel d'enregistrement dans mes bagages à main, ont fouillé dans ma valise. Ne voulant pas passer pour des inquisiteurs, ils ont décidé de ne pas me la remettre. Ils m'ont plutôt fait croire que l'aéroport de Paris ou Air Algérie était responsable du problème. Sur le coup, comme ça ne m'était jamais arrivé dans le passé, je les croyais.

Pensant qu'ils en resteraient là, nous décidons de quitter l'aéroport. Quelle n'est pas ma surprise quand, arrivés dans la capitale, ils assignent, pour nous surveiller, des policiers de la présidence ! Nous n'avons pas le choix. Ils nous suivront toute la semaine. Dans certains endroits, nous serons même accompagnés par la police en motocyclette, les CRS locaux.

Quand je demande :

– « *Pourquoi sommes-nous constamment accompagnés de policiers ?* »

on me répond :

– « *Ah ! C'est pour des questions de sécurité. Récemment des Allemands ont été enlevés. Nous ne voudrions pas qu'il vous arrive la même chose.* »

– « *Ah bon !* »

Nous nous installons à l'hôtel *Mercure* où une superbe fille commence à me faire les yeux doux. Une beauté s'occupe de Guérette. Après quelques minutes, nous nous apercevons qu'il s'agit de femmes à la solde du gouvernement. Elles avaient pour mission de découvrir le but de notre visite.

Même si je me sens important, je sais bien que je suis encadré. En plus des policiers, un guide nous accompagne dans tous nos déplacements. Heureusement, il est très gentil.

– « *Écoutez, à propos de vos vêtements ne vous inquiétez pas. Je vais vous prêter quelques chemises.* »

Ahmed met à ma disposition deux chemises et un rasoir, de la crème à raser et du dentifrice. Je suis donc obligé de porter tout le temps les mêmes vêtements, et comme il fait chaud, épouvantablement chaud, nous sommes en juin et il fait entre 45 et 50 °C, je ne peux pas me changer.

Guérette, qui a sa valise, n'est pas incommodé par la situation. Nous trouvons le contexte bizarre. Tous les jours, après nos différentes visites, nous retournons à l'hôtel à Alger pour entrer en communication avec Air Algérie.

– « *Bonjour. Ici Gilles Proulx. Avez-vous retrouvé ma valise ?* »

– « *Non.* »

– «*Écoutez, je m'en vais à Dakar, d'ici quelques jours. La situation est de plus en plus intenable. J'ai besoin de ma valise.*»

– «*Soyez certain que nous y travaillons.*»

Ce sera ainsi pendant toute la durée de notre visite. Finalement, Air Algérie m'expédiera ma malle huit jours plus tard à Bamako au Mali, où je poursuivais mon séjour africain.

Au cours du voyage nous constaterons que toute cette nervosité est due au fait qu'Alger et tout le reste du pays vivent sous tension. Le gouvernement était aux prises avec des insurgés intégristes qui voyaient les Occidentaux comme des suppôts de Satan.

❋

Lors de mon premier séjour, je n'avais pas trouvé les Algériens très chaleureux. Avec toutes ces histoires de valise, je me serais cru au centre du film *Oscar* avec Louis de Funès. Je dois tout de même avouer que notre accompagnateur est agréable. Ahmed insiste et m'assure qu'il n'est pas un agent du gouvernement.

– «*Je travaille pour le ministère du Tourisme. Je gagne ma vie avec les touristes. Il n'en vient pas beaucoup.*»

C'est évident qu'il n'en vient pas beaucoup, même si touristiquement intéressant, il s'agit d'un pays unique en son genre. Je comprends rapidement que notre guide est bien à la solde du pouvoir. J'évite donc de parler contre le régime, même s'il tente de me faire réagir à plusieurs reprises. Il me parle de bureaucratie très lourde, des «enquiquinades» administratrives, de l'inefficacité du système. Je le laisse s'exprimer sans faire de commentaires. Je sais, sans l'ombre d'un doute, que si je me lance dans des diatribes contre le régime, je risque d'être emprisonné.

Les seuls éditoriaux que je me permets concernent la nostalgie que j'ai de la France.

– «*Je trouve malheureux que vous ayez rompu si brutalement avec la France. Maintenant que vous êtes d'égal à égal, vous pourriez négocier un pacte, des accords qui ne ressembleraient en rien à du colonialisme. Vous pourriez profiter de la technologie de ce grand pays. C'est quand même votre partenaire le plus important. À la place de vos MIG, de vos chars d'assaut, de toute votre quincaillerie soviétique, vous pourriez avoir le meilleur de l'ingénierie française.* »

Plusieurs fois je lui répète :

– « *Vous devriez profiter justement du fait que vous êtes maintenant d'égal à égal avec la France pour intensifier vos rapports.* »

Notre guide aime beaucoup l'expression « d'égal à égal », mais il me réitère le fait qu'il n'est qu'un simple officier de tourisme et qu'il ne peut rien changer.

C'est à peu près les seuls reproches que je me permets de formuler. Je me fais le porte-parole de la France. L'accompagnateur est très compréhensif face à mon analyse et à ce que représente l'Union soviétique. Sans trop s'engager politiquement, je crois que le guide trouve ma vision sympathique.

Je pense que si j'avais dit : « Les intégristes ont raison. Mettez les faux démocrates dehors », je me serais retrouvé en prison.

À ma première visite en 1969, Houari Boumédiène était le deuxième président de la République algérienne démocratique et populaire en poste depuis 1965. Il mourra en 1978. Au moment de mon deuxième séjour, Abdelaziz Bouteflika détient le pouvoir depuis 1999. Celui-ci, avec l'aide de l'armée, maintient les intégristes en respect. Il prône la même ligne de pensée que celle qui avait cours en 1991 quand le haut comité d'État, pour éviter la montée des intégristes, avait annulé le premier tour des élections. Les premiers résultats indiquaient alors que le Front islamique du salut (FIS) était sur le point de remporter deux tiers des sièges. C'était un coup d'État, ce qui avait frustré le peuple algérien. Cette situation avait provoqué le déclenchement de la guerre civile.

Un autre événement d'importance explique très bien le climat de nervosité dans lequel je me retrouve en 2001. En 1994, le Groupe islamique armé (GIA) avait détourné sur Marseille le vol d'Air France entre Paris et Alger. Sur place, le Groupe d'intervention de la Gendarmerie nationale française (GIGN) avait pris le contrôle des opérations. Après avoir encerclé l'avion, ils avaient demandé aux preneurs d'otages que, pour des raisons humanitaires, ils libèrent les enfants et les personnes âgées. Les terroristes avaient accepté. Sept à huit adultes et quelques enfants étaient descendus de l'avion. Les hommes du GIGN avaient interrogé les vieux pour qu'ils leur indiquent la position des terroristes dans l'avion.

– « *Il y en a un là, un près des toilettes, un en avant, etc.* »

Les membres du groupe tactique se faufilèrent sur le tarmac, puis pénétrèrent dans l'avion. Taouw, taouw, taouw. Ils exécutèrent les terroristes et libérèrent les otages. Les CRS français n'avaient pas hésité, pas comme au Québec, où les policiers tergiversent quand il s'agit d'intervenir auprès des Warriors Mohawks ou d'un itinérant du parc Viger.

❁

Malgré notre escorte, Normand Guérette et moi arrivons à visiter les ruines de la côte, notamment Tipaza et Cherchell, dont m'avait tant parlé quelques années auparavant le professeur coopérant. Cela ressemblait à ce qu'il nous avait raconté, à Marie-Claire et à moi, lors de notre voyage en auto vers Constantine. En une semaine, nous n'aurons pas le temps de visiter le désert. De toute façon, avec la surveillance constante, cela aurait été difficile.

À Tipaza, on me parle d'Albert Camus et notamment de son livre *Noces* où on trouve la nouvelle *Noces à Tipaza* que j'avais lue sur les bancs d'école. Camus, en plus d'être écrivain, essayiste et dramaturge, était journaliste. Il a eu cette belle phrase à propos des confrères :

– « *Le journaliste est l'historien de la quotidienneté.* » Cette réflexion sur mon métier m'a plu.

Malgré la chaleur, la sécheresse et les criquets, nous sommes privilégiés d'avoir accès à ces lieux où nous ressentons toute l'influence des Phéniciens et des Romains sur le Maghreb.

En nous promenant dans un village où il n'y a pas encore de touristes, nous passons devant un petit café où sont assis des vieux. Ils nous entendent, Normand et moi, parler avec le guide. Ils nous interpellent:

– «*Vous êtes Français?*»

– «*Nous sommes des Français du Canada…*»

– «*Nous nous ennuyons de la France*», nous avouent-ils spontanément.

– «*Ah oui! Pourquoi?*»

– «*Au temps de la France, notre pays fonctionnait mieux. Vous savez, aujourd'hui, ici, c'est bordélique. Rien ne marche. La technologie: regardez les ascenseurs dans les hôtels; ils ne fonctionnent pas. Au temps des Français, les réparations étaient faites sur-le-champ.*»

Je trouve beau cet éditorial de protestation. Plusieurs d'entre eux regrettent l'ère française. Bien sûr, avec le colonialisme venaient certains excès. Mais la colonisation avait aussi apporté l'hygiène, les chemins de fer, les hôpitaux, les universités, le réseau de lycées, même si tous les enfants algériens n'y allaient pas.

Je trouve flatteur que le vieux me lance son: «Nous nous ennuyons de la France.» Eh oui, parfois on oublie pourquoi on luttait…

Je me retourne vers mon guide, celui à qui j'ai déjà vanté les mérites de la France, et j'ajoute:

– «*Écoutez, je ne suis pas Français, je suis un Nord-Américain, mais je vous le dis, votre meilleur allié, c'est encore la France.*»

– «*Cette rencontre renforce ce que vous me disiez hier*», avoue-t-il.

– «*Voilà comment vous pourriez créer un pays plus fraternel…*»

Quels que soient les échanges que nous avons avec la population, le cicérone ne nous lâche pas d'une semelle. Un peu comme dans les pays de l'Est, au temps du communisme. Heureusement, notre homme nous laisse assez libres de parler. Je crois que l'admiration que j'ai manifestée pour la France l'a touché.

D'ailleurs, à la fin de notre séjour, Ahmed me remet très gentiment un petit cadeau qui me fait vraiment plaisir: une pièce de collection, cent francs d'une banque algérienne qui n'existe plus. Quand je suis allé en Indochine française, j'ai cherché des pièces de monnaie qui portaient la marque de cette ancienne colonie. Je voulais voir les effigies qui y étaient gravées. C'était un moyen de découvrir la vie de ces gens. Saïgon, Tahiti, Pondichéry... j'ai voulu aller partout où la France a étendu son influence. Je dis souvent à la blague que je dois avoir la légion française... tatouée sur le cœur. Blague à part, le ministère des Affaires extérieures m'a remis la médaille du mérite français pour avoir défendu cette langue en Amérique.

❋

De retour à l'hôtel après Cherchell et Tipaza, notre accompagnateur nous annonce que demain nous nous rendrons au cœur d'Alger. Je mentionne que j'aimerais beaucoup visiter la casbah.

– « *Vous savez que votre ambassade ne le recommande pas !* »

J'insiste :

– « *Je veux y aller quand même.* »

Ma persistance a raison des objections que soulève le guide et il finit par nous y emmener. Nous savons que c'est risqué puisque des intégristes se servent de cet îlot pour attiser la haine politique.

Nous déambulons dans les rues étroites de la casbah. Nous parlons français de façon à accentuer notre accent québécois. Un jeune homme m'interpelle :

– « *Salut étranger. Comme allez-vous ?* »

– « *Pas pire pantoute.* »

– « *D'où venez-vous ?* »

– « *Du Canada.* »

– « *Vive le Canada !* », crie-t-il alors.

Puis il ajoute : « *Allez à la porte de votre ambassade, vous verrez à quel point nous sommes nombreux à vouloir émigrer au Québec.* »

Il avait raison. Le lendemain, en passant devant l'ambassade canadienne, j'aperçois une file de près d'un kilomètre. Ces Algériens attendent pour faire une demande d'émigration chez nous.

Toujours dans la casbah, les femmes voilées braquent les yeux sur nous comme si elles se demandaient : « Qui sont ces étrangers ? » Nous ressentons un sentiment d'inconfort.

L'accompagnateur nous dit :

– *« Il faut marcher vite. Il ne faut pas traîner. On ne sait jamais. »*

Nous prenons conscience que nous représentons des éléments « polluants » dans cette culture intégriste. On nous épie. C'est un comportement politique.

Tout au long de notre promenade, je suis habité par un étrange sentiment : jamais je ne me suis senti aussi dévisagé. Il y a toutes ces femmes au regard mystérieux, vêtues, comme des « corneilles ». Tout ça me trouble. Je les appelle ainsi parce qu'elles sont toutes vêtues de noir, mais aussi parce que ces oiseaux sont de fins observateurs, des espèces d'éclaireurs.

Elles chuchotent en nous regardant à distance. Allaient-elles prévenir un leader intégriste de la présence d'étrangers pour qu'on vienne nous casser la gueule ? Après tout, nous n'étions que deux curieux en compagnie d'un guide. Même lui ne voulait pas y aller. Cet environnement m'apparaît menaçant. Les femmes voilées ne parlent pas aux étrangers, mais elles parlent français.

Ça me ramène à mon passé de petit gars, quand, avec mes amis, nous nous battions contre le quartier voisin. Il y avait toujours un éclaireur qui se sauvait et qui allait chercher les grands frères pour venir nous tabasser. Ici dans la casbah, j'ai le même sentiment.

Malgré tout, la tentation est trop forte et je veux continuer à me balader dans ce dédale. J'ai la sensation de me replonger aux débuts des années soixante. Je tiens absolument à voir les couloirs, les labyrinthes dans lesquels se cachaient, dans les années cinquante, les membres du Front de libération nationale. J'imagine les « paras » du colonel Bigeard effectuer leur descente, travaillant aux corps à corps.

Tout en marchant, je vois là-haut, accoudée à une fenêtre, une femme assez âgée avec son garçon qui me sourit. Nous sommes un phénomène de curiosité. Après un court dialogue, ils m'autorisent à les prendre en photo.

✻

Au tournant d'une ruelle, mon ami Guérette succombe au regard hypnotiseur d'une femme voilée. Elle est aussi désirable qu'une déesse des récits des *Mille et une Nuits* ou de ceux d'Homère. Il prend le temps de l'écouter. Elle lui raconte rapidement sa vie, son désir. Elle est grande et très belle. Tout de suite, je le préviens :

– « *Attention, Normand. Attention, elle veut te piéger. Son désir, c'est de se faire amener au Québec.* »

Effectivement, un homme caché derrière la colonne d'une maison murmure des phrases en arabe, juste assez fort pour que la femme l'entende. Cependant, Guérette est trop attiré et sous l'emprise de la beauté de cette inconnue pour prendre conscience de la présence de l'homme… Elle lui remet un papier rédigé en français pour lui indiquer où elle habite.

J'insiste :

– « *Elle est voilée. Fais attention. Elle est mariée, Normand. Ce n'est pas vrai qu'elle triche son mari. Il y a quelque chose derrière ça.* »

Il est torturé. Il la veut, il la désire. On voit par ses yeux qu'elle est vraiment magnifique. De temps à autre, elle lève son voile et montre son visage. Finalement, le doute s'installe et gagne mon ami. Il se ressaisit. Guérette sort tout à coup d'un court roman pour enfin revenir sur Terre ! Ouf ! Tout cela s'est déroulé à l'insu de notre accompagnateur qui jasait avec des gens de la rue, un peu plus loin. Comme cela fait plusieurs jours que nous sommes ensemble, notre éclaireur nous laisse une certaine liberté. Nous sommes devenus plus familiers et il voit bien que l'on n'est pas là pour faire de la politique.

Je soupçonne l'homme qui se cachait de vouloir contrôler la fille, pour des raisons politiques ou autres. Nous sommes dans une période politique trouble, dans un îlot de tiraillement. Je comprenais maintenant un peu mieux pourquoi les autorités canadiennes recommandaient à ses commettants d'éviter cet endroit.

Cette situation me rappelle un voyage que j'ai fait au Vietnam au lendemain de la guerre, après le départ des Américains. Quand j'étais allé à Da Nang et à Hué, où les Vietnamiens avaient reçu une pluie de bombes sur la tête, j'avais ressenti la haine des Américains. Les plaies de la guerre n'étaient pas encore cicatrisées.

⁂

Après cette aventure, Ahmed nous invite à pousser notre visite plus loin que de simplement déambuler dans les ruelles de la casbah. Comme il connaît quelqu'un qui habite ici, il dit:

– «*Je vais vous montrer l'intérieur d'une demeure.*»

De l'extérieur, avec ses rues étroites et humides, ses odeurs, son manque d'hygiène, ce quartier annonce la pauvreté. On n'y enlève pas les ordures, personne ne balaye ni ne lave les rues tous les jours.

Notre cicérone nous fait entrer dans un foyer. L'intérieur, en ciment et en plâtre blanc, se révèle étonnamment beau. Malgré l'humidité qui doit y régner en hiver, la fraîcheur de l'été est très agréable. Cette demeure présente une certaine modernité, un confort élémentaire: il y a une télévision, un réfrigérateur et sur un mur, un vieux poster d'Alain Delon. C'est propre. Nous sommes loin de la grande pauvreté, loin des favelas brésiliennes. Extérieurement, l'ensemble des vieilles maisons de la casbah peut ressembler à un bidonville, mais il y a beaucoup moins de pauvreté ici.

Les ruelles de la casbah formant un véritable labyrinthe et du fait que les gens vivent sur des toits qui communiquent les uns avec les autres, la capture des terroristes devient difficile. Ils se sauvent d'un couloir à l'autre, d'un toit à l'autre. Voilà ce qui complique le travail des forces de l'ordre.

Nous poursuivons notre incursion. Grimpant dans ses nombreux escaliers, nous débouchons en haut de la colline. Et là, changement de religion. Devant nous se dresse la basilique Notre-Dame d'Afrique. À côté, loge l'Ambassade du Saint-Siège, un genre de chancellerie du Vatican. Cet îlot de catholicisme dans ce bain musulman nous semble bizarre. Cela nous rappelle un pan de l'histoire de l'indépendance de l'Algérie. Un million de catholiques avaient été forcés de partir. En réalité, la basilique n'est plus très fréquentée.

Devant notre étonnement, notre guide apporte quelques précisions :

– « *Ici, nous sommes assez libéraux. Nous admettons les autres cultures religieuses, à condition que le catholicisme soit subordonné à l'autorité musulmane.* »

En clair, les catholiques ne sont pas totalement libres.

Du haut de ce promontoire, je regarde la ville et la majestueuse vue sur la baie d'Alger. Au bas de la falaise, il y a le cimetière catholique. J'y descends et marche entre les pierres tombales. Je vois là, des écriteaux gravés comme, Jean Larose, policier assassiné en 1961, et un autre nom français, puis un autre encore. Depuis bien longtemps, personne n'est venu verser des pleurs sur ces tombes. Il y a quelque chose de doublement triste dans cet îlot de morts français. Ils sont tous tombés avant 1962, et leurs familles, déracinées au moment de l'indépendance, ont été forcées de rentrer en métropole. Normalement, elles pourraient peut-être venir remettre en état ces tombes, mais seraient-elles bien accueillies ?

Quelle tristesse ! Quelle douleur, pour ces pieds-noirs et ces harkis, des Arabes qui avaient osé servir la France et qu'on avait fait passer pour des traîtres. Ils ont tant souffert, aussi bien ici qu'en France. Et toujours me revient en mémoire cette expression qui a hanté l'esprit des futurs déracinés à la fin de la guerre d'indépendance : « La valise ou le cercueil ! » Maintenant que les portes du tourisme sont entrouvertes, certains expatriés pourraient revenir. Mais certainement pas tous, puisque plusieurs ressentent trop la souffrance. C'est ici que j'ai compris le chagrin d'une famille de pieds-noirs installés à Repentigny en 1968. Le Québec était encore enivré par l'appui du général de Gaulle à notre cause, alors que ces gens le condamnaient violemment pour les avoir abandonnés au lieu d'imposer la partition de ce pays brûlant. Bref, ils n'avaient que de l'amertume pour le général. Plusieurs de ces courageux habitants, qui avaient pioché cette terre ingrate, avaient aussi oublié l'égalité avec les Arabes. Si seulement l'homme, cet animal social pas toujours raisonnable, avait compris cela à temps.

Toujours est-il qu'au fur et à mesure que j'avance dans le cimetière, je découvre des caveaux défoncés, vandalisés, certains même profanés. Peut-être vaut-il mieux que les pieds-noirs ne reviennent pas. Comme on le voit, la « démocratie algérienne » ne se digère pas aussi facilement. Ahmed se rend compte de ma tristesse.

– « *Écoutez, nous avons nous aussi nos cimetières* (eux mettent une stèle). *Nous avons eu autant, sinon plus, de victimes que la France a pu en laisser ici. Ce sont les conséquences de la guerre.* »

Je le trouve vraiment bien ce guide. Il est capable de mettre les choses en perspective.

En descendant des hauteurs de Notre-Dame d'Afrique, j'arrive dans Bab El Oued, la Porte de la Rivière, principal quartier européen de la ville jusqu'en 1962. Comparativement à la casbah, c'est un autre monde que je visite. Un coin de pays magnifique où sont préservés de nombreux vestiges de l'époque coloniale. En regardant vers le haut, j'entends discuter les mères accotées sur les balcons en dentelle toute rouillée. Voilà les reliques d'une époque pas si lointaine du quartier populaire où le petit peuple habitait. C'était pour la plupart des gens originaires de Corse, d'Italie et d'Espagne.

❋

Je marche dans Bab El Oued en pensant à la chanson de Brigitte Bardot, enregistrée vers 1966 en l'honneur de ce quartier. J'aime tellement la voix de cette vedette. Je faisais souvent tourner ses disques la nuit, à *CKLM*. Quelques années plus tard, à Montréal, j'ai demandé à Martin Duchesne, le plus grand collectionneur de disques du Québec, de me retrouver cette fameuse chanson. Il a eu beau chercher, jusqu'à Paris, il n'a jamais pu mettre la main dessus. Elle a probablement été retirée de tous points de vente parce que le texte de la chanson vantait ce quartier où l'Organisation de l'armée secrète fabriquait ses bombes à l'époque de la guérilla. Ah ! La rectitude...

Au milieu des années soixante, l'OAS était en guerre, autant face à la France et de Gaulle, que contre les musulmans, notamment le FLN. Pour les membres de l'OAS, l'Algérie devait rester française au prix du sang s'il le fallait.

La France les ayant largués, quand arriva le 5 juillet 1962, les pieds-noirs de l'OAS rentrèrent en France, et agirent contre le gouvernement français sur son territoire. Ils iront jusqu'à préparer huit attentats contre de Gaulle. Le plus connu est celui, raté, du Petit-Clamart, le 22 août 1962. Cette armée secrète, qui avait recruté beaucoup de mercenaires, frappait fort. Très active, cette organisation disposait de beaucoup d'argent et de support en provenance de plusieurs pays sympathiques à sa cause. Son slogan : « L'OAS frappe en tout temps, quand elle le veut, là où elle veut. »

Dans le centre-ville un gigantesque monument, le Mémorial du martyr, gardé par des soldats, rend hommage aux Algériens morts pour la patrie nouvelle. Cette structure en béton qui grimpe dans le ciel est l'œuvre de la firme Lavalin de Montréal qui a été l'objet de nombreuses critiques à cause de son coût trop élevé, comme notre stade olympique…

– « *La prochaine fois, nous allons faire appel à d'autres ingénieurs* », de me dire notre accompagnateur.

❋

Aujourd'hui, l'atmosphère de Bab El Oued est plus calme. Les tensions ont cédé la place à la musique qui sort de ces vieux appartements appartenant à une époque révolue.

En passant devant le bel hôtel *Saint-Georges*, le *Ritz Carlton* local, nous nous disons que nous aimerions, comme bien des Nord-Américains et des Européens, passer une nuit dans cet établissement chargé d'histoire.

Le président Eisenhower y avait sa suite. Une plaque dorée à la porte nous rappelle que, durant la dernière guerre, il n'était que général. Je savais aussi que Simone de Beauvoir, André Gide, Henri de Montherlant, Rudyard Kipling, Francis James et Édith Piaf avaient été clients de cet établissement cinq étoiles.

En entrant dans le hall, j'ai l'impression de croiser le fantôme d'Albert Camus et ressens la présence d'Enrico Macias qui a tant chanté ce pays qu'il aime.

Près du bar je vois des Arabes attablés, en train de prendre du café et des jus. Aucun alcool. Au bout de quelques minutes, une superbe femme voilée fait son entrée. Sous sa robe noire, je remarque son corps svelte. Seuls, ses yeux sourieurs, maquillés, sont dévoilés. Je m'adresse à elle et lui demande la permission de la photographier. Même si je vois qu'elle m'envoie un sourire, son mari s'interpose violemment et m'écarte.

– «*Il n'en est pas question*», me lance-t-il.

Je la trouve tellement belle, élégante, jeune. Son regard intense a captivé mon attention. Son homme, un individu bedonnant à la fin de la quarantaine, a l'air de la dominer. Il n'y a rien à faire, pas moyen de négocier. Je n'insiste pas. Je sais par expérience que le mari peut jouer du poignard et me l'administrer en plein ventre. Une précédente expérience vécue au Yémen avait été très instructive en ce sens.

En 1996, dans ce pays de l'Arabie heureuse, un homme m'avait plaqué une djambia, un poignard qui sert à dépecer les moutons lors des cérémonies religieuses, sous la gorge pour la même raison. Cette fois-là, j'avais voulu photographier trois «corneilles» aux yeux parleurs qui agacent et qui attirent. J'avais à peine formulé ma demande que le mari d'une d'entre elles m'avait dit sans ménagement: «Ici, on ne photographie pas les femmes.» En quelques secondes, il m'avait menacé de sa djambia. Pas question d'accommodements raisonnables, nous ne sommes pas au Québec.

Pour récupérer de mes émotions, je m'appuie au comptoir où le barman, qui est habillé à l'européenne, parle un excellent français. Il n'a pas osé s'immiscer dans ce qui vient de se passer, mais il me dit:

– «*Il faut que vous respectiez…* »

Une fois la tension dissipée, il entreprend la conversation. Les barmans ne sont-ils pas les psychologues du prolétariat?

– «*Savez-vous monsieur, Jean-Marie Le Pen venait ici lorsqu'il était para? Il adorait casser du sucre sur la tête des Arabes!* »

On a beau le critiquer, Jean Marie Le Pen est tout un homme. Il a vécu à la hauteur de ses convictions. J'ai eu l'occasion de l'interviewer tant à la radio qu'à la télévision et il acceptait parce qu'il savait qu'il avait besoin de projeter une autre image que celle qu'a exagérée la gauche caviar…

J'imagine tout le grenouillage, toutes les chicanes et les discussions qui ont animé ce lieu où l'armée était présente.

La direction nous permet de visiter la « suite » du général Eisenhower. En fait, c'est une chambre ordinaire que n'importe quelle personne qui en a les moyens pourrait louer. On dit que tout est resté dans le même état qu'au moment de son passage… Eisenhower y avait séjourné de novembre 1942 à décembre 1943.

Avec ses photos du passé, son jardin, ses fontaines extérieures et son ambiance, le *Saint-Georges* est devenu un élément de fierté. La table y est d'ailleurs excellente.

Puis, déambulant dans les quartiers du centre-ville, j'assiste à la rencontre incessante de deux grandes cultures : la franco-européenne et la musulmane. En rentrant au *Mercure* où je n'ai toujours pas mes valises, la réalité me rattrape.

❊

Vient finalement le temps de quitter l'Algérie. Je suis déçu de ne pas avoir visité le désert algérien. Encore une fois, je me fais la promesse de le découvrir. Je l'avais dans la tête et je savais que, si la santé me le permettait, je foulerais un jour ces grands espaces.

Laissant notre accompagnateur, nous nous envolons pour Dakar, au Sénégal, par Air Algérie. Je n'ai toujours pas ma malle. Je commence à trouver de plus en plus difficile de vivre continuellement dans l'inconfort. Je ne trouve pas cela drôle du tout. Ma barbe s'allonge, car j'ai rendu au guide son rasoir. Je refuse de m'acheter des effets, puisque, chaque jour, je m'imagine récupérer mes bagages. Après quatre jours, nous quittons Dakar. J'ai en moi le souvenir de l'enseignement en journalisme radiophonique. Je me rappelle cette rencontre avec le père de l'indépendance sénégalaise, Léopold Sédar Senghor. Quelle carrière que celle du journalisme qui vous ouvre nombre de portes !

Arrivé à Bamako au Mali, je me rends au comptoir d'Air Algérie où on m'annonce, enfin :

– « *Votre valise est ici !* »

Tous mes bagages ont été fouillés à la recherche de je-ne-sais-quoi, mais tout a été remis en place. Il ne manque rien.

– « *Avec toutes nos excuses. Ça doit être à Paris…* », de dire le représentant d'Air Algérie.

Je sais bien que si ça avait été le cas, j'aurais récupéré mes valises beaucoup plus vite.

Algérie

Le désert du Hoggar

Je retourne en Algérie en 2002. Ce troisième voyage durera quatre jours. Comme à mon séjour précédent, je suis soumis au même régime d'encadrement : agent animateur du gouvernement, police m'accompagnant en motocyclette à Tipaza, circuit touristique classique en plus, et disparition des bagages en moins.

Bien entendu, je revois Tipaza et les anciennes ruines phéniciennes, romaines, chrétiennes et byzantines. J'y suis déjà passé, mais je l'apprécie quand même.

À Cherchell, la police vient au-devant de nous.

– « *C'est le chef de police locale* », m'indique le guide, qui n'est pas le même que celui qui avait enrichi notre tournée algérienne auparavant.

Le policier haut gradé arrive et nous offre sa protection. Je ne comprends rien.

– « *Pourquoi une protection ? Est-ce que j'ai l'air d'un bagarreur ?* »

– « *Pas du tout. Il y a des Allemands qui ont été enlevés…* »

Décidément, ils nous servent toujours la même excuse. Non mais, ce sont toujours des Allemands qui ont été enlevés…

Quatre jours, cela passe comme l'éclair. Pour moi, c'est du réchauffé, du déjà vu. Hélas je n'ai pas eu le bonheur d'aller dans le désert !

❊

J'honore les promesses que je me fais. Je suis un homme de parole !

En 2005, les Algériens avaient négocié avec les voyagistes pour qu'ils incluent leur pays dans leur forfait. Toutefois, les entreprises avaient exigé que la qualité d'accueil des hôtels soit améliorée. Ceux-ci étaient généralement vieux, leur construction, pas très bien insonorisée, datait de l'époque française, et ils avaient les mêmes chantepleures et les mêmes bains qu'au moment de leur édification. Pour les voyagistes, ils étaient désuets. Pour moi, ils avaient beaucoup de charme. Ces hôtels me rappelaient le vieux La Havane. Si j'avais été ministre du Tourisme algérien, je les aurais maintenus dans leur ambiance surannée. Je les aurais fait retaper tout en gardant les mêmes équipements, les mêmes bains, les mêmes lavabos. Un grand nettoyage conservant le caractère des années soixante aurait mieux valu… comme à Cuba quoi!

Au contraire, l'Algérie se lance dans la construction de réseaux d'hôtels convenables pour recevoir des envahisseurs en culotte courte. On m'invite pour que je fasse encore une fois le circuit classique: le long de la côte. Je note qu'il y a beaucoup de chantiers de construction et que ce sont des Chinois qui y travaillent. On me répond qu'il s'agit d'une excellente main-d'œuvre, présente sept jours par semaine et dix heures par jour, tout en ne coûtant pas trop cher. Voilà le «péril jaune» qui progresse en Afrique. Il ne faudra pas s'étonner si l'influence franco-anglaise disparaît de tout ce continent d'ici quelques années. Ce constat m'a également rafraîchi la mémoire lorsqu'on m'avait dit que pour les grosses constructions on s'adresserait ailleurs…

Heureusement, une belle surprise m'attend. Après ce court séjour sur le littoral, un avion d'Air Algérie nous dépose dans le grand sud, près des frontières du Mali et du Niger.

Nous voilà à Tamanrasset, la capitale des Touaregs. Je les avais côtoyés dans le très grand sud tunisien et je les retrouve enfin. Tamanrasset, qui s'appelait Fort Laperrine à l'époque coloniale, avait repris son nom. On la nomme aussi la ville rouge à cause de la couleur de ses bâtiments. Cette ville, située au cœur du Hoggar, est une oasis sans palmier en raison des vents. Il s'agit d'une forteresse naturelle sur un plateau ceinturé de pitons dont la couleur varie du rouge au noir et au brun. Ce sont des colonnes de granit qui sortent des étendues rocailleuses, des fûts immenses, qui atteignent parfois deux cents, ou trois cents mètres. Ces grands pitons de granite colorés, qui changent de couleurs selon les humeurs du soleil, se détachent sur un tapis blond. C'est étourdissant! Je suis sur une autre planète.

Finalement, je comprends pourquoi les Algériens disent qu'ils ont le plus beau désert au monde. Je croyais qu'il s'agissait de vantardise. Ils avaient raison puisque l'UNESCO s'est intéressée à sa beauté exceptionnelle.

Tamanrasset, une agglomération d'environ 70000 habitants, m'apparaît comme étant au bout du monde. Il y a quelques hôtels et petites usines. C'est tout!

C'est là que j'apprends qu'à environ cent cinquante kilomètres, la France avait fait sauter sa première bombe nucléaire. C'était en 1960, alors qu'il ne lui restait que deux ans pour disposer de ce territoire. Au lendemain des accords d'Évian, en 1962, elle avait bien gardé certains privilèges, comme ceux d'avoir un contingent militaire et d'acheter du pétrole algérien, mais cela n'avait pas duré. En ces lendemains douloureux, Boumédiène et le nouveau gouvernement avaient une mentalité communarde. On décida donc de monter le prix des loyers des bases nucléaires françaises à plusieurs reprises. Victime de chantage, la France abandonna ses expériences en 1966. Elle avait eu le temps de faire sauter treize bombes.

Aujourd'hui, les Touaregs sont devenus un levier qui permet de stimuler l'industrie touristique trop longtemps négligée. Comme les autorités considèrent qu'Alger et la côte méditerranéenne sont un bouillon de contestations et le théâtre possible de troubles entre Européens et intégristes, ils encouragent désormais les étrangers à se rendre dans l'archisud. Le désert n'est-il pas un autre mode de vie, une autre culture? C'est le royaume des hommes bleus. Ceux-ci sont, pour la plupart, bâtis comme des armoires à glace, très grands, très costauds, très virils. Ils ont le visage brûlé, ridé par le vent. Ils vivent encore comme leurs ancêtres. Ils seraient environ 100000 éparpillés dans un paysage lunaire, grand comme la France. On estime leur nombre entre deux et trois millions dans l'ensemble du territoire saharien.

Tamanrasset est l'endroit recherché pour vendre dromadaires et moutons. C'est un très gros marché où les Touaregs du Mali, de la Tunisie, du Niger et d'autres pays adjacents se rendent aussi. Ces nomades vont et viennent aux rythmes des caravanes, mais ils repassent toujours à Tamanrasset, leur point de rassemblement. Ils n'ont pas de frontière. Ils sont avant tout Touaregs, avant d'être Maliens, Nigériens ou Algériens. Comme les Indiens au Canada, ils passent d'une frontière à l'autre, sans signaler leurs déplacements aux autorités. Sauf qu'on ne sait pas s'ils franchissent les frontières avec des réfrigérateurs remplis de coke ou de marijuana…

Tamanrasset est le point de départ vers Tombouctou, Ghat, Ghadamès ou Mourzouk en Libye, c'est-à-dire sur la route des forts de la légion française qui allait jusqu'en Afrique noire. Ces forts, généralement situés à deux jours de marche les uns des autres, servaient à la fois de garnisons et d'ouvrages militaires, mais également de haltes et de zones de commerce. Nous sommes sur cette route-là. C'est du cinéma quoi !

À la descente d'avion, je suis impressionné par ces colosses qui passent d'une langue à l'autre : du tamachek à l'arabe et parfois le français. Un véritable concert verbal. J'aime beaucoup ces langues berbères et arabes, surtout quand les femmes les parlent. Elles résonnent bien aux oreilles. Elles s'expriment tellement vite que la musicalité qui s'échappe de leurs lèvres a quelque chose de mystérieux. Les Touaregs conversent encore plus vite que les Arabes.

Contrairement aux hommes, les femmes touarègues sont de toutes tailles. Elles sont souvent habillées comme des Berbères avec une jupe longue de couleurs. Elles portent un voile lâche sur la tête pour se protéger contre le sable, mais pas le voile islamique. Elles se distinguent des femmes arabes par le fait qu'elles sont moins soumises à la rigueur coranique.

Les Touaregs et les Berbères sont musulmans, mais non des Arabes musulmans. Dans les discussions, ils aiment bien marquer leurs différences. Quand le minaret se met à chanter, ils déroulent leurs tapis de prière et se prosternent vers La Mecque. Ils ont au moins une connaissance géographique sur l'endroit où se situe la capitale des murmures…

⁂

Aux portes de Tamanrasset se déroule une des attractions qu'un étranger doit absolument voir : le marché aux dromadaires qui a lieu deux fois par semaine. J'assiste à l'échange de milliers de bêtes dans une atmosphère qui évoque les immenses foires dans lesquelles on liquide les voitures d'occasion chez nous. Les pauvres bêtes, grognardes, arrivent du Mali, du Niger, du Tchad ou de la Libye pour être échangées sur ce grand marché. Tamanrasset est l'endroit où acheter ou vendre un dromadaire, renouveler son cheptel de chèvres ou de moutons. C'est un lieu grouillant où se font beaucoup d'affaires. Un peu comme les grandes places financières de Londres ou New York.

Lors de mon passage, un bon dromadaire d'un à deux ans coûtait quelques centaines de dollars. Cette bête peut vivre à peu près une trentaine d'années.

Les chameliers, généralement des gens très durs et autoritaires, apprennent aux animaux à s'agenouiller, à se lever, puis à suivre la caravane à coups de fouet. Quand ils les montent, ils les guident à coups de talons dans les flancs, comme le font les cavaliers. Pour qu'elles puissent leur être utiles, il faut que les bêtes soient domptées.

Il est étrange de voir des dromadaires arriver par gros camion-remorque. Je ressens de la tristesse en sachant ces vaisseaux du désert ainsi enfermés.

Ceux qui sont ici ont fait leur temps et s'en vont à l'abattoir. Ils le sentent. On va les transformer en cuir, puisque la viande est rarement consommée. Après la transaction, les nouveaux propriétaires veulent les enfermer dans la boîte du camion, mais elles résistent. Ils les poussent, leur donnent des coups de bâtons. Comme si elles savaient qu'elles s'en vont vers la mort. Alors on les fait entrer de force. Les dromadaires se mettent alors à pleurer, à crier, un peu comme les cochons. C'est déchirant. C'est un spectacle qui m'a arraché le cœur.

Contrairement aux Européens qui entretiennent des liens particuliers avec leurs chevaux, je ne vois pas le même attachement chez ces gens. Je ne doute pas qu'ils aient une certaine forme d'amour à l'égard de leurs bêtes, mais ce n'est pas apparent.

*

Personnellement, avec le temps j'ai développé une grande sensibilité aux animaux. Aujourd'hui j'ai un chien. Quand j'en vois un sur la rue, je m'arrête pour le caresser. Au fur et à mesure que les ans passent, je me découvre un amour pour le monde animal. J'habite le long du fleuve Saint-Laurent et je peux y observer les canards, les hérons, les mouettes, des ratons laveurs et des renards. Il y a quelques années, j'aurais dit: « Tiens des canards. » Aujourd'hui, je dis plutôt : « Ah ! Les beaux canards » et je m'attarde quelques minutes à les admirer. C'est peut-être dû au fait que les métiers de la radio ou de la télévision sont trop prenants. Que c'est une course effrénée où on manque de temps ? Aujourd'hui je le prends.

Toujours est-il qu'en Tanzanie, j'ai admiré de beaux félins. Je les aime. Je ne veux pas qu'ils soient blessés. Récemment, lors d'un séjour en Thaïlande, je me suis fait photographier en compagnie de deux énormes tigres que j'avais envie de caresser. Je leur ai tapé leurs belles grosses fesses jaune et noir pour recevoir en retour un incroyable rugissement qui m'a tempéré dans mes élans d'affection.

Pendant longtemps les reptiles m'ont répugné. J'en avais peur. Il y a plusieurs années, en Floride, quelqu'un m'avait balancé un serpent dans la figure. Depuis, je n'avais jamais été capable de supporter leur vue. Même les couleuvres… Durant l'été 2010, je réalisais une émission sur les moulins de la Nouvelle-France à la Pointe-du-Moulin à Vaudreuil. J'étais en train de reculer pour prendre en photo le moulin, quand, tout à coup, j'entends: « Chusssssssss ». Je me retourne et aperçois une couleuvre. Je prends le temps de l'observer et de penser : « pauvre petite, regarde, elle a peur », avant qu'elle ne file. Il y a dix ans, je lui aurai lancé une pierre. Je sais aujourd'hui que les animaux sont très importants et qu'ils ont beaucoup d'utilité dans la nature. Les voyages ont fait croître chez moi l'amour de la nature.

*

Finalement, nous partons de Tamanrasset pour faire un circuit de six jours. D'ici il est possible, pour certains aventuriers qui ont le temps, d'atteindre la Tunisie ou la Libye. Il est envisageable de monter avec les

Touaregs au sein d'une caravane et de les suivre jusqu'à destination. Le voyage vers la Libye dure environ un mois. Un autre marché les attend à l'arrivée.

Pour traverser le Sahara, de la Mauritanie à l'Égypte, les hommes bleus prennent d'un à deux mois. Ils marchent de trente-cinq à quarante kilomètres par jour... Toute une équipée.

Pour ma part, je me contente d'une courte expédition, même si je souhaite partir au long cours. Toujours la même chose : je manque de temps ! J'ai une carrière, et même si j'ai beaucoup voyagé, j'ai toujours dû le faire, dans la majorité des cas, en sauts rapides. Si je cumule tous mes séjours dans le désert, Algérie, Libye, Maroc, Mauritanie, Tunisie, Namibie, Gobi et Qatar, j'ai passé environ deux mois.

Un jour, j'aimerais faire un voyage de deux à trois semaines dans le Sahara. Louer un dromadaire et vivre avec les caravaniers. Goûter à la lenteur, au vent chaud et aux mouches. Me retrouver vraiment sale, crasseux au milieu de l'immensité. Je suis certain que je pourrais y faire des photos formidables.

Ceux qui me connaissent s'étonneront peut-être que je recherche la lenteur. On me voit souvent comme une personne nerveuse, qui bouge et remue tout le temps. Oui la lenteur m'attire... pour 15 jours. Passé ce temps à dos de dromadaire je pense que j'en aurais assez... Dans ma tête, ce genre de voyage doit être limité dans le temps. Au bout d'un moment, je me mettrais à compter les jours... Je me connais.

Les hommes bleus peuvent passer six mois au milieu du Sahara. Pour eux le temps ne compte pas. Un peu comme nos premiers colons en Amérique du Nord.

En 2005, cette fois, je passe six jours avec un Touareg dans le désert et sur les routes du Hoggar... en jeep. Notre véhicule a de la difficulté à avancer tellement les sillons creusés par ceux qui sont passés avant nous sont profonds. Les roues tournent dans le vide, comme si nous étions dans la neige québécoise.

Nous croisons le chemin des caravanes, nous nous arrêtons, nous jasons. Nous échangeons les dernières nouvelles. Ils nous demandent où nous allons, ce que nous faisons. À quelques reprises, nous montons à dos de dromadaire pour faire une balade. Nous allons sous leur tente, nous y couchons parfois, nous mangeons avec eux. Certains de ces hommes s'en vont vers la Tunisie, d'autres vers la Mauritanie.

La jeep que j'ai louée est conduite par un Touareg. Mon guide officiel est parti avec d'autres caravaniers à dos de dromadaire. L'homme bleu parle un bon français et a plein de choses à raconter. Parfois, en cours de route, il arrête le véhicule et disparaît derrière un promontoire, un monticule rocheux. Le premier jour je lui demande :

– « *Où allez-vous ?* »

Il ne répond pas, mais je comprends vite. Il va étendre son tapis et faire ses prières. Quand il revient, je le sens comme soulagé. Il pratique ce rituel cinq fois par jour, même dans le désert. Souvent, quand il fait sa prière au lever du soleil, je dors encore.

La nuit, nous dormons à côté de la jeep. Bien équipés et autonomes, nous montons un petit campement. De petites tentes. Nous allumons un feu pour préparer de la nourriture : des légumes, de la viande, mais toujours ce même satané mouton.

J'aime découvrir leur mode de vie. Les voir murmurer entre eux. Les observer en train d'accomplir les tâches de la journée. Comment se préparent-ils... pour la prière, pour installer la couche ? Je remarque à quelle heure ils se lèvent et comment, le matin, ils cassent des branchailles, puis font un petit feu afin de préparer un café. Nous vivons vraiment avec ces gens, au ras du sol, dans leur plus pure tradition. Nous sommes bien loin des hôtels de luxe.

Peu habitués, nous gelons toute la nuit, car nous avons des tentes individuelles, ce qui nous prive de la chaleur de l'autre. Au matin, nous devons attendre vers les dix heures pour que le soleil nous chauffe un peu.

Comme nous sommes en décembre, il fait trop froid pour qu'il y ait des scorpions et des serpents. Les caravaniers me racontent qu'il y en a l'été.

Durant cette période, ils mettent un câble autour de la tente. Les serpents ne franchissent pas cet obstacle. Je n'ai jamais pu comprendre le principe de cette protection, mais ils la pratiquent. Il y a aussi le feu qui illumine une bonne partie de la nuit et qui empêche les animaux de s'approcher.

Passer quelques jours dans le Sahara, c'est vivre intensément… la quotidienneté. On pourrait séjourner un, deux, trois, quatre, cinq ans avec les caravaniers, la vie serait la même. Le matin, le soir, la nuit, ils accomplissent toujours les mêmes gestes.

Quand nous nous arrêtons dans un campement, nous sentons qu'ils sont habitués à recevoir des gens. Ils ont un garde-manger. C'est ainsi que nous nous ravitaillons. Si nous restons chez eux pour la nuit, nous parlons en attendant que le sommeil s'amène. Ils racontent leur vie, les différences entre leur existence en été et en hiver. Nous poursuivons des discussions anodines… en admirant le firmament et la lune, si présents.

Une fois la fraîcheur de la nuit arrivée, nous partageons un repas, sous la grande tente noire brûlée par le soleil. À l'intérieur, des tapis, des tambourins et quelques assiettes. Si l'après-midi la température grimpe à 25 °C, le soir elle chute à 5 °C. Nous dînons d'un beau plat de mouton et de légumes. Un barde prend un instrument de musique et se met à chanter. Je ne suis pas capable d'identifier l'accessoire qui semble très vieux. Le guide n'est pas plus en mesure de lui donner un nom. Il doit s'agir d'un instrument dont jouaient ses ancêtres, probablement depuis des siècles. La complainte qu'il interprète en tamachek me semble aussi millénaire que son instrument. Je vois, dans la figure du jeune interprète, toute l'expérience de sa vie, la géographie de son patelin et surtout l'amour de son pays. Ce sont ces raisons qui me poussent régulièrement à photographier des visages qui expriment la vie, la misère, la dureté, la bonté, la géographie…

Sous ce ciel rempli d'étoiles, le temps n'existe plus. La beauté du décor m'obnubile. Je me sens petit et fragile dans cet univers si vaste. Je comprends tous ces méditatifs, Mahomet, Jésus-Christ, de grands penseurs, Lawrence d'Arabie qui avaient tenu à se retirer dans le désert. Il y eut aussi Antoine de Saint-Exupéry, cet aviateur français qui, à la suite d'un accident d'avion, sera aidé par les hommes bleus en attendant les secours. Ce serait à partir de ce moment-là qu'il aurait médité sur la possibilité d'écrire un conte poétique et philosophique : *Le Petit Prince.* Certains, comme Jean-Marie De Koninck, soutiennent que c'est à Québec, dans sa famille, qu'on aurait incité Saint-Exupéry à s'attarder aux perceptions de l'enfant qui serait devenu le personnage principal de son conte. Qui dit vrai ? Personnellement je pense que c'est plutôt le désert qui l'a amené à écrire ce récit. Il y a tellement d'étoiles dans ce dôme incomparable. Sous le ciel du Hoggar, on a l'impression de voir l'autre galaxie, derrière la galaxie. De voir en deux dimensions. Certains diront :

– « *Oui, mais on voit la même chose dans les Laurentides.* »

Je n'en suis pas certain. Les jets de lumière de Saint-Jérôme atténuent la noirceur de la voûte céleste. On voit beaucoup, mais ça n'a rien de comparable avec le Sahara. Dans le Hoggar, on voit des satellites passer toutes les demi-heures.

Ce que je « récolte » dans ce désert d'Algérie, c'est un contact privilégié avec une nature inhospitalière et étrangère à tout Nord-Américain. Cette initiation à une nouvelle géographie, à de nouvelles mœurs me fait partager un mode de vie que la plupart des gens croient disparu. Ils nagent dans la modernité et ne peuvent s'imaginer qu'à sept ou huit heures d'avion, il y a des peuples nomades qui vivent avec une horloge qui ne marque pas le temps de la même manière que chez eux. Même si quelques caravaniers ont des montres, la plupart se fient aux étoiles pour connaître l'heure.

J'ai eu la même expérience quand je suis allé chez les Chocos au Panama. Nous vivons sur le même méridien qu'eux. Pourtant, nos modes de vie n'ont rien de comparable. Dans cette tribu primitive, dans le sens noble du terme, les individus sont nus et ils chassent à la lance et aux flèches. Les petits gars ont une bavette devant le pénis. De retour à Montréal, alors que je mangeais avec ma blonde, je lui dis :

– « *Est-ce que tu réalises qu'à cette heure, ces femmes de la tribu des Chocos, qui ont les seins à l'air, sont elles aussi, en train de manger ?* »

C'est un autre monde, figé dans le passé. Bien des gens ne peuvent s'imaginer que de telles sociétés existent encore. Parfois, je me demande combien de temps ces peuples et tribus vont garder leur liberté. Je pense que cela dépendra de la vulnérabilité des gouvernements qui contrôlent leurs territoires. Si on découvre qu'ils sont sur un terrain propice à la culture du thé ou du café, ou encore qu'il y a du pétrole dans le sous-sol, il y a de fortes chances que les dirigeants se laissent acheter par les multinationales. À ce moment-là, on va les transférer, on va les mettre dans un parc, et c'en sera fini de leur culture. Ils deviendront les habitants d'une réserve et porteront des casquettes de baseball…

Heureusement, dans le cas des Touaregs, le sous-sol n'abrite pas d'importantes richesses. L'Algérie, selon les inventaires mondiaux, regorge d'énormes quantités de pétrole. Les spécialistes disent même qu'il s'agit du meilleur au monde. Heureusement, les gisements se situent beaucoup plus à l'ouest, loin de la zone de vie des hommes bleus. J'ai l'impression qu'ils ne sont pas en danger. De plus, ils sont protégés par une nature hostile, par la forteresse naturelle qu'est le Sahara. À moins qu'on découvre un jour le moyen de convertir le sable en pétrole… ou en glace, il serait étonnant que le grand capitalisme s'intéresse à cette région.

❋

Le Sahara algérien est le plus spectaculaire que j'ai vu, et j'en ai admiré d'innombrables au cours de ma vie. Le désert du Maroc avec son chapelet de forts de la Légion étrangère française. Le désert de la Tunisie avec ses oasis. Le désert d'Égypte chargé de références bibliques. Le Néguev, le désert d'Israël, et ses paysages lunaires. Le plus vieux désert de la Terre, celui de la Namibie, qui passe pour receler les plus hautes dunes au monde. Le désert de Mongolie où j'ai « caravané ». Le désert du Qatar doté de couleurs pastel.

Toutefois, rien n'égale le Hoggar, à cause de ses immenses pics basaltiques. Ce désert invite à la poésie. En fait : « Le Sahara offre à quiconque aime la composition, une poésie facile à établir sur une feuille. Un endroit où il n'est pas nécessaire de se creuser les méninges en imagination et en recherche de mots tellement cette nature est généreuse et variée. »

Tandis que nous évoluons sur cette splendide étendue, sur ce tapis qui change constamment de couleur, le sentiment qui m'anime est plutôt étrange. Je ressens à la fois, fascination et angoisse. Nous croisons à nouveau ces autochtones. Une caravane de géants bleus qui se dirigent vers le marché de Tamanrasset. Ils s'en vont en sens contraire de notre route. Nous allons plus à l'est, vers la Tunisie. Ces hommes moitié rustres, moitié poètes ne s'expriment ni en français, ni en arabe, mais en tamachek. Fascinant… et angoissant.

L'anxiété vient du fait que j'avais écouté des reportages qui disaient que les Touaregs seraient responsables de plusieurs enlèvements. On les y accusait d'avoir kidnappé des enfants ou des femmes pour les revendre au Mali. On disait que la police était impuissante parce que, hormis l'utilisation d'hélicoptères, il était impossible de les suivre. Ils connaissent très bien leur territoire et ils peuvent effacer leurs traces. Je ne sais pas s'ils en étaient responsables, mais en Mauritanie j'avais vu un marché d'esclaves. En croisant cette caravane, je pense à tout cela. Aux Allemands enlevés au nord. Tous ces renseignements font que le doute s'installe.

Par contre, la fascination me pousse à continuer. C'est un privilège de laisser s'écouler le temps parmi eux. Je suis un des rares Nord-Américains à vivre cette expérience unique avec ces hommes bleus.

Le lendemain, nous empruntons une montée en lacet, étroite, qui nous donne des sueurs froides. Notre jeep est à bout de souffle et, un peu plus, il aurait fallu rebrousser chemin. Finalement nous arrivons près du sommet de l'Assekrem et nous entreprenons à pied l'escalade qui nous mène à l'ermitage d'été du père Charles de Foucauld.

Je suis heureux de visiter ce site, car il a une grande importance dans l'histoire des Touaregs. À Tamanrasset j'ai vu le petit domaine que le père Charles de Foucauld avait construit comme lieu de repos. C'est une sorte de petit fortin, qui est aussi un monastère. Officier de l'armée française, à l'époque de la colonie, Charles de Foucauld quitte l'armée, puis voyage au Maghreb et s'installe dans le Hoggar en 1901. Il apprend alors la langue des hommes bleus, s'intéresse à leur culture et se fait accepter d'eux. Après une jeunesse plutôt dissolue, il devient ascète. Il est aussi ethnologue. En 1916, victime d'une bande d'insurgés dans une guerre intertribale, il est lâchement assassiné. L'église de Rome le béatifiera en 2005.

L'ermitage de Charles de Foucauld abrite aujourd'hui le père Édouard, qui vit ici en spartiate depuis maintenant quarante ans. Il devait avoir environ soixante-dix ans lors de mon passage. Nous allons à sa rencontre. Il est là, dans ce lieu aride, au milieu des vieux souvenirs de son fondateur. L'endroit est exposé aux quatre vents qui s'infiltrent entre les pierres de son très modeste refuge de paix. Le bâtiment est construit de façon très rudimentaire. Des pierres, l'une par-dessus l'autre. Il n'y a pas de ciment entre elles. Même s'il n'y a pas de neige, il fait quand même froid la nuit. Le père Édouard vit en ascète. Une corde à linge et quelques guenilles aux quatre vents. Dans son ermitage, une petite bibliothèque contient des ouvrages tout usés de son maître à penser. Là se trouve un minuscule autel, avec de petits lampions. Juste à côté, un grabat. Voilà l'homme spartiate !

Nous parlons avec lui :

– « *Comment faites-vous pour vivre dans cette solitude ?* »

– « *On se nourrit de prière, de méditation… et des rapports qu'on entretient avec les Touaregs qui gravitent autour de l'Assekrem* », nous répond-il.

Même s'il est tout seul, il commence ses phrases par « On ». Nul doute, il s'agit là d'un autre méditatif.

Il y a quelques visites, des moines qui passent par là, des touristes, des pèlerins qui marchent sur les traces du père de Foucauld. Il semble que certaines personnes lui laissent une obole de temps à autre.

Quand je lui redemande comment il peut vivre cette solitude, il me répond :

– « *La solitude est mon alliée. La méditation est ma nourriture avec la prière. J'ai quand même des amis là-haut, et en bas. Regardez !* »

Il me montre alors une colonne qui bouge entre les grands pics rocheux. Vu d'où je suis, cela a l'air d'un serpent ou d'un chapelet bleu et blanc. Ce sont des hommes bleus à dos de dromadaire. De temps en temps, un ou deux Touaregs grimpent chez lui et apportent de la nourriture. Il est catholique, eux, musulmans. Je trouve cette entraide extraordinaire. En retour, il leur donne les quelques sous que les visiteurs lui ont offerts. En fait, ils sont aussi pauvres l'un que les autres. Lui vit dans le dénuement total ! Voilà un tête-à-tête avec un être bien particulier.

Jusqu'en 2005, on pouvait espérer qu'il y ait une relève, car il y avait une communauté catholique à Tamanrasset. Depuis qu'elle s'est presque éteinte, on peut se demander s'il y aura des jeunes qui iront prendre la place du père Édouard là-haut en solitaire.

La communication avec le père Édouard n'est pas fluide. Les réponses aux questions sont courtes. Il nous dit qu'il a de bons échanges avec les hommes du désert, qu'il a appris à les connaître. Il connaît toutes leurs structures de vie. Notre conversation se limite à ça.

De mon côté je suis un peu fatigué. La jeep est allée le plus haut qu'elle pouvait, mais à un moment le chemin est si peu large qu'il a fallu continuer à pied. Nous avons dû monter, escalader des roches pour arriver à ce sommet où il fait froid. Il y a toujours du vent. C'est haut ! Le cœur a pompé pour monter jusqu'à l'ermitage. Heureusement, nous sommes au grand air… et quelle rencontre inoubliable !

Finalement, nous reprenons la route vers le nord, en direction d'Alger. Quelques jours plus tard, nous arrivons à Ghardaïa, un endroit oublié. Cette ville est la capitale de la Vallée du M'zab. Elle abrite cinq oasis où les habitants vivent hors du temps depuis près de mille ans. Depuis 1982, ce lieu est inscrit au patrimoine mondial.

À Ghardaïa, la grande mosquée d'où le muezzin lâche des hurlements, ressemble à une forteresse. Elle se distingue par son architecture soudanaise, celle des édifices qu'on construisait au Soudan français, aujourd'hui appelé le Mali.

Nous sommes à la fin du désert de sable. Les vastes étendues deviennent plus rocailleuses. En route, nous croisons une corvée organisée par l'armée algérienne. Cela attire mon attention. Plutôt que de flâner dans les casernes, d'accumuler des calories, ces militaires s'acharnent à ériger, avec des plantes provenant d'Australie, où là aussi plusieurs régions sont désertiques, une barrière de quatre rangées d'arbres. Cette « protection » mise en place pour bloquer la remontée du redoutable Sahara commence à la frontière du Maroc et s'étend jusqu'à la Tunisie. Malheureusement cette initiative n'empêche pas la désertification. Les dunes continuent à gagner du terrain. Elles gangrènent les agglomérations, mais au moins ce travail les ralentit.

Ce qui me fascine, c'est de voir l'utilité de l'armée. On la met à contribution pour des causes valables. J'avais observé la même chose en Tunisie, étonnamment surpris de voir que l'armée était utilisée pour faire des routes. Ils avaient des béliers mécaniques, des rouleaux compresseurs et des ingénieurs. En temps de paix, pourquoi ne pas les mettre à l'œuvre et économiser des deniers à l'État. Voilà des militaires qui donnent un vrai coup de main à leur pays et qui n'ont pas peur d'une bonne suée.

Nous roulons ensuite vers Béni Isguen, une palmeraie érigée au cœur de Ghardaïa. Dans les rues étroites de cette ville fortifiée, les femmes, drapées de blanc, n'exposent qu'un seul œil à l'étranger. Il est plus facile de photographier un lion à un mètre de sa gueule que n'importe laquelle de ces « colombes » blanches.

Cette manière de s'habiller dans la rue tient d'une tradition archaïque de l'Islam, une fidélité encore plus rigoureuse exigée par l'homme. Étrange cette coutume de n'exposer qu'un seul œil pour marcher, alors que la nature nous a pourvus de deux yeux.

Pour expliquer certaines traditions, on me dit :

– « *Ici la ville est archireligieuse. Les gens y vivent comme avant le temps du modernisme des musulmans et nous voulons que cela reste ainsi. Vous êtes dans une ville religieuse.* »

Il faut se rappeler que les traditions évoluent chez les musulmans. Par exemple, aujourd'hui, dans certains pays, les filles n'ont plus l'obligation de porter la djellaba, seulement le foulard. Certaines portent des hijabs, le foulard politique, alors que les autres n'en ont pas. Elles n'en demeurent pas moins musulmanes, comme c'est le cas en Turquie. Bref, on perd notre latin puisque, pendant ce temps en Occident, on accueille dans nos pays où on surnage dans les libertés, des femmes qui tiennent à demeurer prisonnières de cette domination religieuse.

Dans la Vallée du M'zab, les femmes n'ont le droit de partager leur regard qu'avec leur mari. Par prudence, en exposant seulement un œil, elles évitent de croiser les yeux des autres hommes.

L'évolution s'est arrêtée dans cette région parce que la ville et la vallée sont cernées par le Sahara. Encore une fois, c'est la nature, la géographie, l'isolement qui les ont protégées des influences extérieures, du rock'n'roll, du Coca-Cola et des modes de vie à l'occidentale.

Un peu comme chez les Pachtouns en Afghanistan, où les femmes portent la burka bleue avec un grillage en avant du visage, leur vie ici est régie par de très vieilles règles. Je suis toujours fasciné de voir que ça existe encore.

De retour à Montréal, quand j'en parlais au *Journal du midi*, plusieurs auditeurs m'avaient dit :

– « *On devrait les faire évoluer.* »

Je leur répliquais :

– « *Non !, il faut préserver ces traditions. Pourquoi vouloir absolument standardiser notre globe terrestre à l'image de ceux qui imposent la mondialisation ? Il y a des distinctions, conservons-les. Il y a des secrets bien protégés par leur géographie ou leur culture, préservons-les.* »

Bref, il n'y a pas de t-shirt « Hard Rock Cafe in Ghardaïa » à vendre dans les boutiques et tant mieux. Toutefois, je ne dis pas « tant mieux » quand ces gens s'installent chez nous et nous imposent leur religion même dans les bureaux de scrutin… Aussi faut-il retenir dans cet autre monde qu'il n'y a pas de mouvement féministe là-bas. Si au nord j'avais qualifié les femmes drapées de noir de « corneilles », ici, à cause de leurs tuniques blanches, je les nomme les « colombes ». Contrairement aux « corneilles », elles ne nous parlent pas du tout. Je réussis à prendre quelques photos en ayant recours à mon téléobjectif. C'est d'autant plus laborieux qu'elles marchent d'un côté de la rue et les hommes de l'autre. Aux arrêts d'autobus, les « colombes » ont même leur propre quai d'embarquement. En prenant des photos, je risque de me faire jeter des pierres par les hommes.

Dans cette oasis on est totalement à l'abri de toute influence extérieure. Ils n'ont pas d'antennes de télévision sur le toit, pas d'amplificateurs dans la mosquée. Je me réjouis qu'il reste encore des lieux en ce monde qui n'aient pas renoncé à leurs valeurs traditionnelles.

Quant à moi, je suis porteur d'une croûte de poussière qui colle à ma peau chaude et sale. Vite, une douche avant de passer la nuit dans un hôtel rudimentaire. Celui-ci est à proximité de la place du marché. Ce sont seulement des hommes qui servent, les femmes accomplissant uniquement des tâches domestiques. Nous les croisons parfois dans la rue ou encore qui attendent à l'arrêt d'autobus, mais aucune ne travaille dans un commerce.

Quelle expérience que ce petit séjour à Ghardaïa! C'est un îlot de conservatisme à outrance, où il ne passe qu'une centaine de touristes par année. Il est certain que je ne serais pas capable de vivre là. D'abord, je serais un impur en raison de ce que je représente. Je serais toujours un étranger. Ghardaïa, c'est l'Algérie profonde. Contrairement à plusieurs autres régions où le français s'enseigne encore à l'école, ici, les gens ne le parlent pas. Ils connaissent quelques mots, mais ils ne peuvent pas converser dans la langue de Molière. Heureusement notre guide nous sert de traducteur. Pourtant l'endroit est exclusif. J'aimerais y retourner pour faire de la photo.

De retour à Alger, mon accompagnateur me transmet un message de la télévision algérienne: «L'émission *Bonjour Alger* veut vous recevoir, Monsieur Proulx.»

Je dois subir mille et un contrôles pour entrer dans la station de télévision. Ce lieu stratégique est gardé par les militaires. Cela se comprend, ils ont déjà été victimes d'attentats.

Dans le studio, deux belles animatrices me reçoivent. Je suis très honoré de voir que, moi Gilles Proulx, gars de la radio qui est là incognito, ou presque, on me reçoit. J'imagine que le ministère du Tourisme a indiqué aux recherchistes que je suis une «personnalité» des médias montréalais.

Les filles me posent beaucoup de questions sur ce que j'apprécie de l'Algérie. Je parle trop abondamment des souvenirs de la France et du fait que j'aime bien revoir ses anciennes empreintes de la vie française. Cela les agace un peu et elles orientent la conversation sur le Sahara et le Hoggar. Comme c'est un autre monde pour ces Algériennes arabes, un monde qu'elles connaissent mal, elles font bifurquer leurs questions sur Montréal. Elles veulent que je leur parle du froid, de la ville souterraine, de la Place Ville-Marie, de la modernité, du bilinguisme. Elles ont l'air d'en savoir plus sur Montréal que sur le Hoggar ! Je leur raconte donc comment on vit dans la métropole. Une très belle expérience.

Le lendemain nous repartons.

Après ce quatrième séjour en Algérie, j'ai encore le sentiment que j'ai manqué de temps. J'aurais aimé séjourner plus longtemps dans le Sahara. J'aurais souhaité passer trois à quatre jours à Ghardaïa. Je sais qu'aujourd'hui le tourisme s'y organise et qu'il est beaucoup plus facile de passer une semaine dans ces lieux reculés. Peut-être que j'y suis allé avant que tout cela se transforme. Sait-on jamais ?

❋

Dans ce Maghreb musulman, je suis toujours fasciné par les yeux des femmes. Je me suis posé beaucoup de questions sur leurs conditions. J'ai essayé de me mettre dans la situation de ces épouses soumises qui ont des enfants, qui élèvent des familles. J'ai fait cette réflexion en pensant à ma mère. Il existe un énorme fossé entre ma mère, son libertinage, sa façon d'être libre penseuse et la manière dont elle m'a élevé, moi avec ma nature de mâle à l'occidentale et ces femmes élevées dans la soumission extrême.

Malgré le silence et la censure, l'oppression des traditions et de la religion, leur arrive-t-il de se dire : « Si seulement, nous aussi, nous pouvions faire ce que l'homme fait. Si nous pouvions marcher en avant de lui. Si nous pouvions avoir droit à notre opinion. » Se demandent-elles comment, dans d'autres pays, les femmes s'expriment ? Plusieurs d'entre elles ont entendu dire qu'ailleurs, des femmes dirigent des gouvernements, des ministères. Se demandent-elles comment concilier cette prise de parole avec la tradition ? Ou bien l'ignorance les enveloppe-t-elle et les étouffe-t-elle totalement ? Ou encore, à travers cette oppression, y a-t-il des femmes intelligentes qui vont au-delà de la tradition pour se poser ce genre de questions ?

J'aurais aimé en interviewer quelques-unes, mais je suis persuadé qu'elles auraient refusé de me répondre à cause de la soumission que leur imposent leur culture, leurs traditions ou leurs religions. Ici, les us et coutumes érigent une barrière psychologique entre les hommes extérieurs à la communauté et les femmes.

Je suis persuadé qu'au milieu de ces brebis suiveuses, il en existe des perspicaces, intelligentes, curieuses. Je pense que plusieurs d'entre elles se demandent pourquoi elles ne pourraient pas s'habiller comme les autres femmes, celles qui sont libres. Pourquoi, elles ne pourraient pas, elles aussi, connaître d'autres horizons ? Pourquoi doivent-elles vivre dans un vase clos duquel elles ne sortent pas, au nom de conventions issues d'un autre âge ?

Je sais que certaines savent qu'un mode très différent du leur existe, parce que j'ai été impressionné par le nombre d'antennes de télé qu'il y avait sur les toits de la capitale. Et, de temps à autre, la télévision pourtant si contrôlée présente, notamment à cause du direct, des morceaux de cultures étrangères.

Maroc

Méditerranée
Tanger
Chefchaouen
Oujda
Océan
Atlantique
Meknès
Fès
Volubilis
RABAT
Casablanca
Marrakech
Erfoud
Ouarzazate
Agadir
ALGÉRIE
SAHARA OCCIDENTAL

Maroc

La pluie au pays du soleil

En cette veille du Jour de l'An, dernière journée de 1969, après plusieurs heures de train, Marie-Claire et moi atteignons la frontière entre l'Algérie et le Maroc. Quand nous rentrons à Oujda, le soleil a percé les nuages, il fait beau. Nous admirons la casbah de la ville avec son mur en forme de demi-lune. Les gens circulent à dos d'âne. Tout est calme. Une musique orientale résonne dans les rues. Nous venons de quitter l'angoisse, l'inquisition algérienne. À nouveau, jai l'impression d'être passé de Berlin-Est à Berlin-Ouest…

Nous sommes impressionnés par tous ces hommes en djellabas et ces femmes voilées. Quand je descends de l'autobus avec une belle fille à mon bras, les têtes se tournent encore, sauf qu'ici les étrangers sont familiers.

Nous traversons le pays tant bien que mal, fauchés comme des blés. Un matin, à Fès, où la pluie a repris ses activités hivernales, un Marocain au guichet de l'autobus pour Tanger reconnaît mon accent québécois. Au bout d'une courte conversation, nous réalisons qu'il connaît bien Montréal. Il nous invite chez lui. La journée est inconfortable et nous n'avons plus d'argent, ou presque. Nous avons faim et cette invitation nous réconforte quelque peu. D'autant que le soir même nous allons dormir dans un hôtel à un dollar, tout habillés, sur un pucier sableux, sur lequel les hommes du désert, ici les Zaians ou Amazighs, de passage en ville, avaient probablement dormi la veille. Inutile d'ajouter qu'avec nos vêtements tout humides, nous profiterions de ce réveillon bien au chaud chez cet employé des transports marocains.

Nos ventres étant creux, nous acceptons d'autant plus allègrement l'offre de notre nouvel ami en ce royaume d'hospitalité sacrée. Nous nous donnons rendez-vous dans une casbah connue surtout pour ses tanneries.

En attendant l'heure de l'invitation, nous entrons dans cette ville impériale, qui est un des foyers de la culture nationale et le fief des tanneurs. Dans le quartier Chouara, le souk des tanneurs, ils sont là, debout devant leurs gros récipients, d'où s'échappent d'étouffantes odeurs d'ammoniac. Il en est ainsi depuis plus de mille ans. Du cuir de chèvre sortira une belle sacoche destinée à une éventuelle touriste.

Fès est particulière par sa densité, ses très nombreuses portes et ses palais. Au Maroc, il y a toujours un palais quelque part. Celui d'un vizir, d'un notable ou du roi qui en possède huit à lui seul, dont un dans lequel il réside peut-être une ou deux fois par année. Quand on nous montre la grande porte toute ciselée, dorée, on nous dit avec un respect inouï et docile :

– «*C'est ici que le roi vient se reposer.*»

– «*Les tanneurs pliés en deux se reposent-ils ?*»

– «*Bien sûr que oui, puisque demain c'est le Nouvel An.*»

En 1969, Sa Majesté Hassan II est roi du Maroc. Il appartient à une très longue lignée dont les origines remontent à 789, date de création, par Idriss Ier, du Royaume du Maroc. Cette dynastie, très respectée du peuple, règne depuis plus de 1 200 ans.

On nous fait visiter la résidence royale et notamment ses gigantesques écuries avec son académie militaire. J'apprends que c'est là, en septembre, que se déroule la célèbre Fantasia où, pendant une semaine, le cheval est, comme dans toutes les autres villes marocaines, maître des lieux. Décidément, il faut que je revienne à l'automne. La visite de ce palais nous montre le cœur et l'âme du pays.

Nous entrons dans les quartiers de Fès el-Jedid et Fès el-Bali qui forment une médina que l'UNESCO ajoutera à sa liste du patrimoine mondial en 1981. Les odeurs, les sons, les bruits, les sollicitations et la musique ne cessent de nous étourdir.

Fès est aussi la capitale spirituelle du royaume, plus hautement religieuse que les autres, à cause de son université qui dispense une formation coranique. Alors, soyons prudents si on veut contester Mahomet…

✻

Finalement, à l'heure dite, ma compagne, vaguement inquiète, et moi, nous nous rendons, toujours sous une pluie diluvienne, à l'adresse dans la casbah où réside notre nouvel ami marocain. Nous ne sommes pas sitôt arrivés que l'épouse de notre hôte se retire dans l'arrière-cuisine et y apprête du couscous pour tout le monde. Nous croyons que nous dînerons en famille, mais nous avons bientôt la surprise de réaliser que chez les musulmans la conjointe ne mange pas avec ses hôtes. Elle prépare le repas, elle fait le service et se retire immédiatement dans ses quartiers. Ici, tout est culture, tout est tradition.

Les Marocains composent avec de nombreux rituels et, parmi ceux-là, celui du thé à la menthe. Les pauvres autant que les riches en boivent. Cette boisson est tellement populaire que chaque région du royaume se distingue par la couleur de ses tasses qui portent parfois des armoiries particulières. Au Maroc, la religion interdisant de boire de l'alcool et le café coûtant trop cher, les gens ont pris l'habitude de se rabattre sur une infusion à base de thé vert et de menthe verte.

Au cours du repas, la conversation prend une tournure que nous n'avions pas prévue. Notre hôte se met à nous parler, à mots couverts évidemment, du roi Hassan II, de ses nombreux palais, du faste dans lequel il évolue en ce royaume où il y a beaucoup de pauvreté. Malgré sa discrétion, j'ai l'impression que cet homme n'est pas heureux dans son pays. Il dit même songer à refaire sa vie, à Montréal. De la manière dont il en parle, on jurerait que les rues de notre métropole sont pavées d'or. Depuis cette première discussion, j'ai souvent entendu ce genre de conversations, notamment en Algérie et en Croatie. Finalement nous nous rendons compte de l'opportunisme de notre hôte marocain, mais nous ne pouvons l'aider. Nous nous souhaitons une bonne et heureuse année 1970, sans savoir ce qu'elle nous réservera politiquement. Quant à lui, il se promet d'aller à l'ambassade du Canada dès les premiers jours de l'année nouvelle.

Nous passons tout de même une belle soirée qui connaîtra un nouveau rebondissement beaucoup plus tard… dans les années quatre-vingt-dix ! Je hèle un taxi dans Côte-des-Neiges. Sitôt à bord, le chauffeur s'adresse à moi :

– «*Est-ce que vous vous souvenez de moi ?*»

Après quelques instants d'hésitation, je reconnais cet homme qui nous avait accueillis chez lui le 31 décembre 1969. Il m'a facilement reconnu, car entre le fameux souper à Fès et cette rencontre, je suis devenu un peu plus connu à Montréal.

– «*Je vous l'avais dit que j'habiterais un jour à Montréal !*», s'exclame mon ami marocain.

Il se dit bien heureux de vivre à Côte-des-Neiges.

Le lendemain matin, ma belle Acadienne et moi quittons notre hôtel à une étoile. Nous montons à bord d'un autre autocar bondé qui se dirige vers Tanger, où nous allons emprunter le traversier qui nous ramènera sur le continent européen. Nous arrêtons à Meknès une demi-heure. C'est bien peu pour visiter ces lieux historiques, une des quatre cités impériales marocaines. En 1996, elle sera inscrite au patrimoine mondial de l'UNESCO. À mes yeux de Nord-Américain, cette cité impériale de style hispano-mauresque m'impressionne. J'y reviendrai un jour. En fait, par la suite, je visiterai le Maroc à quinze reprises.

Le trajet nous paraît absolument interminable. Le chauffeur a un mal de chien à éviter les immenses flaques et les trous creusés par les pluies torrentielles de la veille et qui continuent toujours à marteler les toits. À un certain moment, le car est bloqué par d'importantes accumulations d'eau au sol qui nous empêchent d'avancer. À chaque instant, nous craignons de nous enliser. L'estomac de nouveau creux, nous salivons au souvenir des ripailles de chez nous, des Jours de l'An auxquels nous sommes habitués. Aujourd'hui, celui de 1970 est gravé dans ma mémoire.

Quelques heures plus tard, nous rentrons dans Tanger où nous trouvons cette fois un hôtel à 50 ¢ ! Le lendemain le traversier doit nous amener à Algésiras en Espagne. Il pleut toujours et les gouttes d'eau tombent dans un seau juste au pied du lit. Ce genre de concert est difficile à oublier. Décidément, la situation ne s'améliore pas. La chambre pue la moisissure.

Je retiens de Tanger que c'était un repaire d'espions durant la guerre. C'était aussi un pont entre deux continents autant pour les Allemands que pour les alliés.

Bref, mon premier contact avec le Maroc, ce sera deux à trois jours sous la pluie.

Nous n'avons plus un sou. Nous n'avons même pas d'argent pour payer le traversier, mais il faut que nous rentrions en France. Nous nous faufilons dans la foule. Un Français nous entend parler et je sympathise avec lui. Au bout de quelques minutes, il est question du général de Gaulle et du Québec. Après un moment, je lui dis :

– « *Écoute, nous n'avons plus d'argent. Pourrais-tu nous en prêter un peu ? Donne-moi ton adresse à Paris et je te rembourserai.* »

Il nous fait confiance et nous donne le montant nécessaire pour le traversier, mais il n'a pas assez d'argent pour les billets de train qui doit nous ramener à Aix-en-Provence.

Au milieu des vagues nous passons près du Rocher de Gibraltar où nous prenons conscience qu'il a toute une signification ! L'armée et la marine anglaises surveillent. Surveillent quoi ? Je l'ignore encore, puisque les flottes de Napoléon et de Dönitz ne représentent plus de danger...

Sur le traversier, en ce lendemain de fêtes et de vacances, il y a toutes sortes de monde et d'automobiles. Il y a un mélange de Marocains et d'Européens. Un « Canadian » de Montréal, unilingue bien entendu, nous aborde et nous parle du mal du pays dont il souffre. Quand je lui demande pourquoi il ne rentre pas à Montréal, il me demande de ne pas lui poser la question, me laissant l'impression qu'il est un malfrat en cavale. En nous entendant parler québécois, j'ai l'impression d'éveiller en lui une certaine nostalgie. Tout ce qui l'intéresse concerne le monde des cabarets et la vie nocturne. A-t-il fui sous la menace ?

À Algésiras, nous montons à bord du train pour Aix-en-Provence... sans payer, puisque nous n'avons plus un sou. Au bout du compte, il nous faudra trois trains avant d'atteindre notre destination. Dans les gares de transits, nous croisons, skis sur l'épaule, des Espagnols arrivant de vacances dans les Pyrénées. Nous prenons la pleine mesure du dépaysement que nous venons de vivre.

Assis sur un banc, les deux pieds sur un panier, à la gare de Madrid, je fais la connaissance de l'Espagne de Franco... Un policier fasciste me flanque un violent coup de cravache et m'intime l'ordre d'avoir une meilleure tenue en public. Autre époque, autres mœurs, n'est-ce pas ? Il examine mon passeport et me fait comprendre que je viens d'un pays composé de *flancs-mous*. C'est une façon de voir les choses, n'est-ce pas ? Sur les conseils de Marie-Claire, qui parle espagnol, je n'ose argumenter.

Quelques heures plus tard, nous devons changer de train encore une fois. Nous profitons de la cohue pour monter sans billet. Tout le monde se bouscule pour se hisser dans les wagons. Nous sommes au milieu de la multitude, emportés par la foule comme dirait Édith Piaf. À l'apparition du contrôleur et de son poinçon qui claque, nous nous cachons dans les toilettes jusqu'au moment où, après Montpellier, patrie des impressionnistes, il nous attrape. Nous lui expliquons que nous n'avons ni billet ni argent. L'homme, animé d'un je-m'en-foutisme méridional, nous dit alors :

– « *Vous vous arrangerez avec le chef de gare à Aix-en-Provence.* »

On est au pays de Pagnol et c'est loin de nous déplaire.

Nous convenons qu'une fois à Aix, nous irions voir le chef de gare pour lui expliquer que nous sommes montés à Montpellier, sachant que nous n'aurions que cette portion du trajet à payer. Ensuite, mon amie de cœur irait chercher de l'argent à son appartement situé tout près pour nous acquitter de notre dette. Mais voilà, lorsque nous débarquons du train, je vois que la clôture à côté de la gare est entrouverte... Ni vus, ni connus et voilà tout un voyage.

À Aix-en-Provence, je passe la nuit chez Marie-Claire, qui me prête un peu d'argent pour que je rentre à Paris. Elle vient me reconduire à la gare. Ce jour-là, en la regardant s'éloigner sur le quai, je me demande si je la reverrai un jour. De Paris, je lui renvoie ses sous avec une lettre. Elle ne me rappellera jamais.

Je n'en fus pas étonné, car j'avais compris vers la fin du voyage qu'elle s'était un peu servie de moi. À l'université d'Aix-Marseille, elle était amoureuse d'un confrère, grec d'origine, qui l'avait trompée. Comme il était parti avec une autre fille, pour se venger, elle m'avait proposé de voyager en sa compagnie. De retour à Paris, je concluais en philosophe : « J'aurai servi à quelque chose. »

Je perdais Marie-Claire de vue pendant… vingt-huit ans. Je l'avais presque oubliée quand un jour, en 1997, j'ai reçu par courrier à *CKAC* une photo de moi que je lui avais donnée en 1969. Le petit mot qui l'accompagnait disait : «Gilles, te souviens-tu de cette photo ? Depuis, je me suis mariée et je suis devenue Française. Je suis revenue au Québec. Marie-Claire. »

Après avoir repris contact avec elle, j'appris, comme de raison, qu'elle venait de divorcer. Elle aurait été prête à reprendre notre histoire là où nous l'avions laissée, mais j'étais avec Bianca… Depuis, j'ai développé une belle amitié avec cette fille intéressante, très cultivée, brillante qui a fait carrière en France dans les médias. Au Québec, elle a travaillé à *TV5*. Elle est maintenant directrice de la chaîne *Planète*.

Un soir où je sortais de *TQS*, je la rencontre sur la rue. Elle était avec son nouveau mari, un beau gars, un avocat, un de ses amis d'enfance. Je lui lance :

– « *C'est incroyable, je te retrouve après tout ce temps au moment où je m'apprête à m'envoler pour Alger.* »

Elle ne s'est pas aventurée à parler de notre voyage de la Saint-Sylvestre soixante-neuf. J'ai eu l'impression qu'elle préfère cacher cette partie de sa vie à son nouveau mari.

❃

À la suite de ce premier voyage, les autres le confirmeront, je soutenais que le Maroc est la meilleure porte d'entrée du Maghreb. La Tunisie est un petit pays tranquille, plutôt occidentalisé, européanisé. En Algérie, l'accès a été longtemps difficile, mais cela a tendance à s'améliorer aujourd'hui.

Le Maroc, lui, vous en met plein la gueule. Pour l'apprécier, il faut plonger dans la vie des Marocains, se mêler à eux, fréquenter des Marocaines et voir sur leurs visages le passé millénaire de tout un peuple.

Ce que je hais par-dessus tout, c'est la culture « béosienne » (lire B.S.) de certains Québécois. Quand j'entends :

– «*Je n'ai pas aimé ça pantoute. C'est sale. Y'a des petites rues. Ce sont des voleurs*», je fulmine. Je voudrais bien voir leurs dessous de lit à ceux-là !

Les analyses qui se limitent au bout du nez m'agacent. Le Maroc est un endroit magnifique, je n'aurais de cesse de le répéter.

Après 1969, les séjours en ce royaume étaient mille fois plus fascinants et plus confortables. Cependant, ils étaient pas mal moins aventureux. Plus tard, à Marrakech, je séjournerai au *Mamounia*, un hôtel situé sur la place Jemaâ-el-Fna, là où Winston Churchill a lui-même habité. Voilà qui contraste fortement avec mes hôtels à 50 ¢ et 1 $ en compagnie de Marie-Claire, qui avait le don de me faire oublier l'inconfort.

Maroc

La Fantasia de Meknès

Le Maroc demeure, sans conteste, en tête de liste des destinations que je préfère. Royaume à la fois pauvre et riche, il offre une grande satisfaction au photographe.

La photographie est un de mes loisirs préférés et j'aime photographier les humbles, puisque leurs expériences de vie et la géographie des endroits où ils vivent sont souvent burinées sur leurs visages. De par leur mode de vie, on comprend leur dépendance vis-à-vis de la nature et leur non-dépendance face à l'État. Ils n'ont pas de chèques qui leur tombent périodiquement sur la tête. Alors leurs physionomies traduisent la combativité, celle d'avoir à survivre, à quémander, à offrir, à frotter des souliers, à pratiquer des métiers qui n'existent plus chez nous, tout cela, pour gagner leur pitance et arriver à vivre. Le Maroc est une terre nourricière, où l'agriculture est très élaborée, mais, comme il y a trop de monde à la table, on s'aperçoit que la pauvreté et la faim persistent. C'est particulièrement vrai dans les villes, puisqu'à la campagne une poule, un lopin de terre à cultiver, une vache à dépecer suffisent.

En 1988, drôle de coïncidence, alors que je participais à l'émission de Louise Deschâtelets, *Les carnets de Louise* à *TVA*, celle-ci me demande à brûle-pourpoint :

– « *Quel est à votre avis, le plus beau pays du monde ?* »

Sans hésiter, je réponds :

– « *Pour moi, c'est le Maroc.* »

Le lendemain, j'ai bien vu que ma déclaration d'amour n'est pas passée inaperçue. L'Office marocain du tourisme, la direction générale de Royal Air Maroc et l'ambassadeur du Maroc au Canada veulent me parler. Ce jour-là, le standard de la station *CJMS* a été débordé d'appels. «*C'est où le Maroc? Est-ce que cela coûte cher d'aller là-bas?…*» Voilà l'impact de *TVA*.

⁂

Bien avant ces confidences à Louise Deschâtelets, le voyage de 1975 restera mémorable. J'étais un des invités de l'Office du tourisme. Nous étions un groupe d'une dizaine de journalistes radio, télé et presse écrite, notamment du *Devoir* et de *La Presse*. L'ancien journaliste et animateur de radio, Matthias Rioux, devenu ministre dans le cabinet de Jacques Parizeau, faisait partie du groupe.

Notre première destination: Tanger, la fameuse ville du nord du pays qui avait cette réputation d'avoir accueilli bien des espions et plusieurs aventuriers… pas toujours très honnêtes. Nous visitons les environs, notamment le quartier huppé qui ne ressemblait en rien à ce que j'avais vu lors de mon séjour en 1969. Ce n'est plus la même ville. C'est la Tanger richissime, une ville prospère, le trafic des narcotiques aidant. Sa proximité de l'Espagne, qui en fait un véritable carrefour, l'avait drôlement changée en moins de dix ans.

En fin de journée, Matthias Rioux m'accompagne dans une buvette. Il n'y a pas beaucoup de filles assises sur la terrasse, comparativement aux gars. Ils parlent entre eux, murmurent, nous regardent. Tout à coup, surprise! deux jolies Marocaines engagent la conversation avec nous. Très rapidement elles se mettent à nous faire du charme. Ce sont des filles scolarisées, qui connaissent beaucoup de choses. L'une travaille dans une agence de voyages et l'autre est coiffeuse. Nous passons une belle soirée à bavarder de choses et d'autres. Nous parlons du Québec, mais elles ne nous sollicitent pas pour y venir. À aucun moment l'une ou l'autre ne nous dit: «J'aimerais aller au Canada un jour.»

Bref, elles sont indépendantes! L'ambiance est très sympathique et nous flirtons sans arrière-pensées. À la fin de la soirée, elles nous invitent à les raccompagner chez elles. Comme nous faisons souvent cela chez nous, nous considérons que c'est normal.

Arrivée à destination, une des filles m'invite à la suivre pour prendre un café dans son appartement, au cinquième étage. C'est la nuit. Je suis un peu inquiet, car je vois plusieurs hommes rôder autour de l'immeuble. Elle insiste :

– « *Tu viens chez moi !* »

Comme je la trouve très belle et très gentille, j'ai le goût de rester plus longtemps avec elle... Je dis à Matthias :

– « *Reste donc avec l'autre fille au pied de l'appartement à faire un peu de surveillance.* »

Finalement je monte chez la fille et nous faisons l'amour. À peine quelques instants après l'apothéose, un quatuor de musulmans fait irruption dans la chambre en poussant de hauts cris en arabe. Ai-je affaire à des intégristes fanatiques ? Je me sens loin de chez nous !

Je suis pris de crainte et me rhabille en quatrième vitesse. L'un des quatre hommes me regarde avec des yeux très sévères. Je ne saisis pas ce qu'il me crie dans sa langue gutturale. J'imagine que cela doit ressembler à : « On va te casser la gueule, toi aussi. » Pour l'instant, les autres s'en prennent surtout à la fille. Ils lui parlent moitié en français, moitié en arabe. Ils la traitent de tous les noms. Ils lui en veulent de s'être donnée à un infidèle. L'intimée réplique comme elle le peut. Elle finit par s'écrier qu'elle est Berbère, et qu'étant adulte, elle fait ce qu'elle veut. Nul doute que voilà un point de vue féministe, plus évolué que chez la plupart des femmes arabes trop soumises. Ce sont des Arabes qui lui crient des bêtises. J'imagine que ce sont des gars du café qui la connaissaient et qui savaient où elle habitait. Ces véritables effrontés se sont permis de monter et de forcer la porte de l'appartement. Je n'en reviens pas !

Heureusement, Matthias n'est pas allé à l'appartement de l'autre fille. Il est resté bien sagement à boire un verre, jusqu'au moment où il a entendu des éclats de voix. Il voit alors que quelque chose ne va pas. Inquiet, il finit par monter et arrive juste avant que l'affrontement ne dégénère. Avec quelques phrases bien senties, il dit aux Arabes de faire du vent, de déguerpir. À deux, nous reprenons de la force et de l'arrogance.

Habitués, en bon Québécois, à nous exprimer librement, nous les envoyons paître. Nous ne pensons même pas aux dangers, au fait qu'ici il est normal de jouer du couteau. Encore une fois, je m'en tire avec plus de peur que de mal! Morale de cette histoire: « Dans la vie, on a souvent besoin d'un plus gros que soi. »

Cette fois-là, ce fut Matthias Rioux!

Avec quelques années de recul, je crois que cette incursion dans la chambre rimait avec des jeux d'influence de clan du quartier. Cela me rappelle cette triste histoire où un garçon sortait avec une fille qui n'était pas de son quartier. Le gars a été tabassé à mort par la bande rivale qui jugeait que la fille était leur propriété et que les étrangers n'étaient pas les bienvenus.

*

Le lendemain nous continuons à visiter Tanger. Je suis étonné par les appels incessants de flâneurs postés au coin d'une rue, à un carrefour, devant une maison. Continuellement nous entendons:

– « *Tsit, tsit, Chef, Français, touriste, Américain.* »

Je les entends si souvent que, quand je reviens à Montréal, en ondes, j'en fais une moquerie, une caricature. À l'occasion je répétais:

– « *Tsit, tsit, Chef, Français, touriste, Américain.* »

À Tanger, ce sont toujours les mêmes phrases:

– « *Tsit, tsit, Chef, touriste, Français, Américain, tu veux des bijoux berbères, des bijoux arabes? J'ai pour toi, des poignards…* »

L'expression m'impressionne. Certains vont plus loin:

– « *J'ai pour toi une petite fille. Un petit garçon peut-être?* »

Il t'offre toute une panoplie d'objets ou de services pour essayer de t'arracher des sous. Ce qui m'a le plus surpris, c'est quand on me propose:

– « *Tsit, tsit, Chef, touriste, Français, Américain, tu veux des serpents?* »

Le flâneur fouille dans sa poche, il en sort une grappe de reptiles, non venimeux, bien sûr, des dorés, des gris, des noirs. Il les tient à la main:

– « *Tu choisis. Dix dirhams.* »

J'ai plutôt choisi de déguerpir…

À quelques mètres de lui, en plein milieu d'une petite rue, un flûtiste joue devant un cobra qui sort d'un bocal et se met à se balancer. Le moins que l'on puisse dire, c'est que ce pays regorge de surprises inattendues. Trois ans plus tard, le gouvernement a finalement interdit d'exhiber des serpents, sauf à Marrakech, sur la grande place, question d'exciter les touristes, moyennant des prix qui ne cessent d'augmenter.

❁

Le voyage de 1975 dure une quinzaine de jours. Nous nous promenons de long en large et de haut en bas. Nous admirons la campagne et ses panoramas, musées, sans oublier sa musique. C'est durant ce voyage que j'ai compris ce que Jean-Marie Bertrand, un ami reporter au *Journal de Montréal*, voulait dire quand il m'avait affirmé :

– « *C'est le plus beau pays au monde.* »

Il n'avait pas tort et je l'ai aussi adopté dans mon cœur.

Plus tard, nous arrêtons à Volubilis, une ville antique près de Meknès. Nous y prenons contact avec la culture romaine et surtout avec le souvenir du général américain George Patton, dont le guide parle avec emphase. Ce grand militaire était un original. Lors de son passage à Volubilis, imaginez-vous qu'il s'était interrogé sur la présence des extraterrestres. Il avait développé l'hypothèse de la possible existence d'autres vies venant d'ailleurs. Les gens de son entourage se moquaient de lui. Pourtant, au lendemain de la dernière Grande Guerre, le monde est entré dans une phase d'interrogation sur l'existence des OVNIS et des soucoupes volantes. N'oublions pas qu'au moment où Patton s'interroge, les Spoutnik n'avaient pas encore été lancés.

C'est également là que le militaire avait confié à son état-major qu'avec la victoire alliée, le monde deviendrait anglo-saxon. Voilà qu'il avait visé juste. D'ailleurs, le francophobe Franklin Delano Roosevelt n'a-t-il pas suggéré au premier ministre Mackenzie King de se débarrasser du français au Canada… au nom de l'efficacité continentale ! Enfin, passons.

Comme je suis en train d'admirer l'Arc de triomphe romain qui trône sur ce site, j'aperçois une cigogne qui atterrit sur son sommet. Je m'empare de mon appareil et capte ce moment unique. De retour à Montréal, je décroche le prix de la meilleure photo décerné par la défunte chaîne Direct Film.

Avançons dans le temps. En 1978, l'Office du tourisme marocain me propose un nouveau voyage. La plupart des confrères journalistes déclinent l'offre :

– « *Nous y sommes déjà allés. On ne veut pas retourner* », disent-ils.

Moi, j'accepte. Le chargé de projet me dit :

– « *Nous allons vous amener à Meknès. Vous allez avoir toute une surprise. Ça va être le summum de votre séjour.* »

Après un grand circuit de visites, nous aboutissons à Meknès. Septembre est le mois de la Fantasia, une des plus réputées au monde.

Les Fantasias sont des fêtes du cheval qui reproduisent les techniques guerrières ancestrales. À l'époque des grandes razzias et des envahissements maures et arabes, ces assauts militaires faisaient trembler l'ennemi... Au cours de ces festivités, il est magnifique de voir les gens montés sur leurs beaux chevaux costumés de parures perlées. Le cheval arabe est superbe, tout petit, très raffiné. Durant cette semaine de septembre, il devient l'attraction de la ville.

Être sur la route durant cet événement nous oblige à circuler tranquillement. Tous les habitants des montagnes et des contrées les plus reculées amènent par la bride leur quadrupède pour faire valoir leur beauté. À leur arrivée, ils se rassemblent dans un parc afin d'y être jugés et de déterminer lesquels sont assez beaux pour participer à cet événement.

Le spectacle de ces gens arrivant des montagnes, des Atlas ou du Nord, est aussi étourdissant puisque chaque ethnie porte des costumes distinctifs.

Une semaine inoubliable et peu ordinaire. À Meknès, le cheval est maître. Il y en a des milliers et autant de cavaliers. Nous sommes au milieu d'un décor impérial médiéval et je ne peux pas m'imaginer que je suis en 1978. C'est un rêve des *Mille et une Nuits*, qui m'oblige à un recul fantastique dans le temps.

À chaque représentation, la frénésie, la poussière, les odeurs, le décor, stimulent les ardeurs de la foule. Et puis, il y a cette musique orientale et ces voix féminines… cet art musical qui ne cesse de plaire à mes yeux et à mes oreilles.

Une Fantasia consiste à simuler une charge de cavalerie, à trente ou quarante écuyers, en lançant les chevaux à grand galop. Dans certains cas, les hommes utilisent un sabre qu'ils lèvent dans les airs alors que d'autres, « armés » de fusils à poudre noire, tirent une salve en bout de piste. Puis, à la fin, les cavaliers font face à la galerie d'honneur. Ils s'arrêtent et font lever leurs montures sur les pattes arrière. C'est alors qu'on remet des trophées aux plus habiles.

En marge de ce rassemblement, je me permets un arrêt dans un village de tentes berbères et arabes entouré de petits cafés et où les femmes déambulent dans leurs costumes au son de la musique et des rires. Une immersion dans le passé, une page d'histoire vivante.

Maroc

Le « marché » aux mariages de Ouarzazate

À UN AUTRE MOMENT, je me trouve à la porte du désert, à Ouarzazate ! Au fur et à mesure que je voyagerai au Maroc, j'y reviendrai question de revoir les lieux qui changent trop rapidement à cause de ses studios de cinéma qui attirent l'argent et la « jet-set » en Ferrari...

En janvier 1989, j'ai la chance inouïe d'assister à une manifestation comme je n'en ai jamais vu auparavant : un marché aux mariages. En être témoin est rare pour un touriste.

Cette fois-là, encore en compagnie du journaliste Jean-Marie Bertrand, l'Office du tourisme marocain nous a donné des sauf-conduits. Nous arrivons en cette exceptionnelle journée. C'est cela, le Maroc. Le pays de l'inattendu ! Il y a des fonctionnaires de Rabat, plus l'imam de la mosquée adjacente, tous présents pour officialiser les mariages.

Tous les participants sont des Berbères. Voilà une société distincte des Arabes qui n'ont pas cette tradition. S'il y en a, il est difficile pour nous de les identifier.

Entassée dans la casbah, la foule est immense. Les hommes, portant des djellabas blanches immaculées, font face à des centaines de femmes vêtues de couleurs vives, multicolores. L'atmosphère est fébrile. Il y a beaucoup de bruit, la musique est forte et les tambours résonnent. En discutant avec des passants, j'apprends qu'il s'agit ni plus ni moins d'une forme assez particulière d'agence de rencontre. Les femmes sont célibataires, veuves ou divorcées et cherchent un époux. Elles dévoilent leurs yeux aux regards lumineux, avec l'espoir d'attirer l'attention des hommes qui se trouvent en face.

Quand un chanceux trouve une âme sœur qui lui plaît, il la prend par la main et l'amène sur-le-champ vers un des fonctionnaires pour sceller le mariage. Difficile de trouver plus rapide comme rencontre. Malgré cette kermesse, certaines n'ont pas eu de chance. Dans ce « marché », l'homme a le droit de prendre une épouse à l'essai, mais pas la femme. Si l'homme la trouve de son goût, si ça fonctionne comme il veut, il la garde, elle devient sa possession. C'est effrayant, mais c'est ainsi.

Ce jour-là, je vis une expérience exceptionnelle. Je manque moi-même, presque malgré moi, de trouver épouse. Quand je braque mon appareil photo sur une ravissante jeune fille, belle comme un cœur, qui ne doit pas avoir plus de quinze ans, la demoiselle embarrassée ne sait trop si elle doit se laisser photographier. Après tout, je suis un étranger, peut-être même un infidèle. Finalement, son père s'en mêle.

– « *Si tu veux la marier, très bien, mais ne lui fais pas perdre son temps* », m'enjoint-il, sur un ton très autoritaire.

Incroyable, mais vrai ! Je pense que le père aurait accepté le mariage, même si je ne suis ni Berbère, ni Arabe. Pour lui, je suis un homme bien, riche, qui a réussi socialement. Je pense que si j'avais accepté, j'aurais dû m'établir à Ouarzazate. Pour me sortir de ce mauvais pas, je propose vingt dirhams pour photographier sa fille. Le père accepte. En fait, c'était un prix ridicule pour éviter de se mettre la corde au cou de façon assez expéditive !

Par la suite, je m'interroge sur cette situation. Imaginons que j'aie eu une faiblesse pour cette belle fraîcheur, et que j'aie accepté ce protocole. Comment aurais-je fait pour vivre dans un clan quelque part dans le désert ou dans les montagnes des Atlas, suivant la région à laquelle elle appartenait ? Comment aurais-je pu m'initier aux langues berbère et arabe ? Comment aurais-je supporté toute cette immersion ? Ou bien, ce père m'aurait-il vu comme un roi et aurait-il accepté que je retourne au Québec avec sa fille. Dans cette éventualité, sa famille, de dix ou douze personnes, serait-elle venue me voir une fois l'an ? Il y avait un risque ! Le Jour de l'An aurait coûté cher en cadeaux...

J'aurais aussi pu prendre la jeune fille à l'essai et m'attacher à elle. Ou bien serait-elle devenue jalouse, et m'aurait-elle fait tuer par ses frères si les choses avaient mal tourné ?

J'avais une amoureuse à Montréal. C'était moins compliqué de ne pas m'embarquer. Encore une fois, comme le renard, je m'en suis sorti…

Pour un Occidental, venant d'un pays hautement démocratique, comme le mien, se faire offrir en mariage une petite fille de quinze ans est interpellant. Cela m'oblige surtout à m'interroger sur la dureté de cette vie, sur la dépendance esclavagiste de la femme qui n'a pas voix au chapitre. Depuis quelques années, plusieurs femmes dans le Maghreb s'émancipent, notamment dans les villes. Dans certains pays, comme en Mauritanie, où j'ai assisté au marché aux esclaves, la situation est on ne peut plus douloureuse.

D'un autre côté, il y a une forme de résignation de ma part. J'essaye de replacer ces acteurs-là dans leur contexte, dans leur géographie, dans leurs traditions et dans leur culture qui sont bien loin des nôtres. En tant qu'individu et comme société, ils n'ont pas fait le même cheminement que nous vers la liberté. Je ne suis pas certain qu'ils partageront les mêmes valeurs que nous dans cinquante ans. Il faut toujours se rappeler qu'ils sont protégés des influences extérieures par la géographie de leur région qui se dresse en rempart naturel contre l'américanisation et la mondialisation. Dans un sens, je trouve ça beau, mais, par ailleurs, je suis effectivement tiraillé. Ces pauvres femmes sont des esclaves. Elles peuvent tomber sur un minable, un homme violent, qui va les maltraiter, les humilier, les battre. Elles vont se résigner, accepter la situation. Par contre, elles sont aussi susceptibles d'être choisies par un homme bon, gentil, qui va les dorloter. Pour la plupart d'entre elles, c'est une véritable loterie.

Le cas des petits garçons qui me sont offerts à Tanger est plus troublant. Pourtant, au Maroc, la religion est très présente et les gens font leurs prières cinq fois par jour. Il faut savoir que l'islam condamne l'homosexualité qui peut entraîner la peine de mort.

Cette pratique prouve justement jusqu'où peut aller la désobéissance dans un régime de domination et de traditions. Les gars qui font ces propositions sont des délinquants, des voyous profiteurs qui, dans leur bagarre pour survivre, empruntent cette voie illégale pour essayer de faire de l'argent. Fréquemment illettrés ou peu instruits, ils font ce qu'ils peuvent dans la vie. Ne pouvant travailler, enseigner ou être médecins, ils empruntent les voies faciles : vendre des serpents ou un petit gars. La prostitution, ça passe. La femme, dans certains esprits et certaines cultures, est un objet. Elle est un « produit » inférieur. Du moins, les autres femmes, pas les leurs. Comme plusieurs Italiens : ils marient une femme et ils la trompent toute leur vie, mais ils ne divorcent jamais. Contrairement à nous.

À chaque voyage, j'essaye de comprendre, de me mettre dans leur peau.

Par exemple, cette pauvre petite fille de quinze ans était peut-être la fille d'un éleveur de moutons ou d'un petit fermier qui avait du mal à subvenir à ses besoins. Bien entendu, elle n'allait pas à l'école. Ce n'est pas important pour une fille d'être instruite. Alors, son père suit le chemin traditionnel, celui de l'esclavagisme et l'emmène au marché au mariage. Elle trouve un homme, un voyou ou un bon gars, qui dans les deux cas lui fera une flopée d'enfants. Elle aura un toit, trois repas par jour et peut-être une vie plus agréable que si elle était restée à la campagne. Dans cette histoire, tout n'est que question de chance.

❋

Comme je le mentionnais, au fil des ans, Ouarzazate, et particulièrement sa grande casbah, est devenu un véritable Hollywood marocain. Les premières années où j'ai visité cette ville, les tournages de films étaient embryonnaires. À chaque passage, j'ai constaté l'importance grandissante de ce secteur. *Un thé au Sahara*, *Astérix et Obélix, Mission Cléopâtre*, et un *James Bond* ont été tournés en partie là.

Une année, en visitant les studios, j'ai pu apercevoir Gérard Depardieu costumé jouant le rôle d'Obélix.

On produit aussi des films sur les terroristes en Afghanistan. Les équipes et les acteurs ne pouvant travailler dans des pays agités, les tournages se font donc au Maroc, vu la similitude des paysages. Voilà une des raisons pour lesquelles le film *Alexandre le Grand*, dont une grande partie se passe en Perse, a été tourné ici. À Ouarzazate, les emplois dans les studios donnent accès à de bons salaires, mais bien moins élevés qu'à Hollywood ou Paris. Cet endroit est devenu une espèce de « Mecque du cinéma » qui doit, sans nul doute, rapporter au gouvernement.

⁂

À Ouarzazate, je me promène avec une fausse Rolex. Je veux jouer un tour à ces marchands de tapis qui sont les plus rusés commerçants de la terre. Si une personne se vante d'avoir roulé un commerçant marocain, elle s'illusionne ou vous ment : « Je te dis que je l'ai fait baisser. J'ai négocié… » Il ne faudra pas le croire.

En Tunisie, lors de mon tout premier voyage au Maghreb, je n'avais pas négocié. Depuis j'ai appris à jouer à ce jeu-là. J'ai compris que c'est un rituel, une détente, une distraction pour s'amuser avec les nerfs des autres… Pour nous, marchander, c'est perdre une demi-journée dans leur boutique. Pour eux, se lamenter, prendre leurs têtes entre leurs mains, hurler, ils aiment ça ! Même s'il y a d'autres clients qui attendent…

Je rentre donc dans une boutique de Ouarzazate avec l'intention d'acheter un souvenir. Je n'ai pas d'idée précise, peut-être un présent pour une amie de cœur dont je changeais souvent à cette époque-là. Je commence à regarder ce qu'il vend quand le marchand voit que j'ai une Rolex. Une copie !

– « *T'as une Rolex !* »

– « *Oui.* »

– « *Ça vaut cher ?* »

– « *Environ 8 000 $!* »

– « *Oui, oui, oui. Montre-moi.* »

Il la regarde.

– « *Combien tu veux ?* »

Je ne veux rien, mais je dis :

– « *Je vais te la vendre à moitié prix !* »

Il se prend alors la tête entre les mains, s'arrache les cheveux et crie :

– « *Tu es impitoyable… Vous êtes durs les Québécois. Mais d'où venez-vous…* » et bla, bla, bla…

Le discours est interminable, mais il finit par me dire en montrant le magasin :

– «*Prends ce que tu veux là-dedans en échange de ta montre*», sachant que je ne pouvais pas sortir avec un tapis de huit mètres de long.

Après cette cérémonie de lamentations, je ressors de sa boutique sans ma montre et avec un pouf valant en fait trois ou quatre dollars ! Quel négociateur je fais !

La première fois que les Occidentaux assistent à ce grand théâtre, ils sont très mal à l'aise. Ils sont impressionnés de voir quelqu'un crier, hurler, parler en arabe, aller dans le fond du magasin, puis revenir… Ils se disent : «Sortons d'ici, il va nous poignarder…» Une fois qu'on s'y est habitué, on peut y trouver un certain plaisir.

Désormais, je marchande à tout coup. Je sais que si je ne le fais pas, je les insulte. Parfois, je sais que j'obtiens un bon prix, mais je ne me vante pas. Ce que j'aime particulièrement, ce sont leurs arguments:

– «*Aujourd'hui, c'est jour de prières. Je vais te faire un bon prix. Il faut que tu achètes, car je pourrais être châtié par Allah !*»

Le lundi, on entend souvent :

– «*Tu es mon premier client. Il faut absolument, en vertu de ma religion, que je te vende quelque chose !*»

Ce qu'il ne dit pas, c'est que la veille c'était dimanche et qu'il avait déjà eu un premier client. Il est facile de s'imaginer qu'à midi, le touriste qui entre dans la boutique, doit encore être le premier à qui il doit vendre quelque chose, sinon…

Les gens qui ne veulent pas négocier doivent aller acheter dans les boutiques huppées des hôtels ou des grandes rues commerciales à Rabat. Il y en a dans toutes les villes qui proposent de beaux objets, des œuvres d'art marocaines… mais ce sont de vrais prix. Ils sont tout de même beaucoup moins élevés qu'au Québec. Cela vaut la peine.

Tunisie – Ces gens vivent dans des grottes comme leurs ancêtres avant eux.

Tunisie – Femme berbère

Tunisie – Les travailleurs, venus à dos de dromadaire, mangent dans un restaurant improvisé installé dans une grotte.

Tunisie – Avant la levée du sirocco un homme bleu m'a coiffé de manière à être l'un des leurs.

Tunisie – En compagnie de Marie-Claire, en décembre 1969 à Carthage.

Algérie – Une belle Algéroise

Algérie – Ah ! Ces yeux, ces yeux !

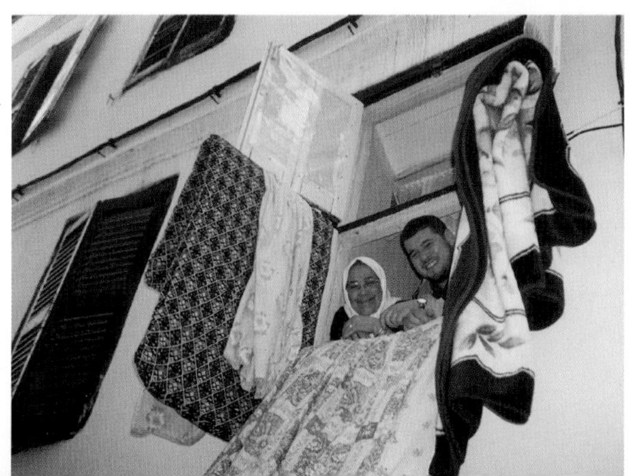

Algérie – En 1969, dans la médina d'Alger, les gens n'étaient pas tous accueillants, comme ce garçon et sa mère.

Algérie – Notre-Dame d'Afrique à Alger, où le catholicisme n'en mène pas large.

Algérie – Tamanrasset, le «Paris» des Touaregs, que l'on appelle aussi la ville rouge.

Algérie – Le Hoggar, le désert rocailleux au sud du Sahara où la France a fait sauter sa première bombe atomique.

Algérie – En route vers l'ermitage du père Charles de Foucault.

Maroc – À Chefchouaen, le bleu est censé repousser les mauvais esprits.

Maroc – Certaines parties de la ville de Ouarzazate semblent comme figées dans le temps. Alors, on comprend bien que cette oasis se prête facilement au tournage des films français, italiens ou américains.

Maroc – Conciliabule des hommes pendant le marché aux mariages de Ouarzazate.

Maroc – À Ouarzazate, le marché aux mariages est haut en couleur.

Maroc – On dit souvent que dans les pays du Maghreb ce sont les femmes qui travaillent le plus. Il arrive parfois, comme ici à Tanger, que cela soit le contraire.

Maroc – Ancien fort de la Légion étrangère française près de Erfoud.

Maroc – Tentes berbères

Maroc – Je m'entretiens avec les fameux hommes bleus, pour qui le Sahara n'a pas de secret.

Maroc – Dans le Sud marocain, à la frontière de l'Algérie.

Maroc – Le mari a laissé ses quatre épouses et ses dix enfants «seuls» au milieu du désert, avec Jean-Marie Bertrand, reporter au *Journal de Montréal*.

Maroc – Berbères revenant des champs. Une photo manquée ou impressionniste?

Maroc – Une cigogne atterrit au sommet des ruines de Volubilis.

Maroc – Durant des années il était courant de voir des charmeurs de serpents. Aujourd'hui cette pratique est très encadrée.

Maroc – Double sourire!

Maroc – Homme des montagnes de la région de Meknès

Maroc – Travailleur des Hauts Atlas

Maroc – Femmes berbères

Maroc – Femme arabe

Maroc – Celle qui a failli devenir ma femme !…

Maroc – Jeunes filles, entre modernisme et tradition

Maroc – Jeune Marocaine des Atlas

Maroc – Jeunes garçons décontractés. Émigreront-ils au Québec un jour?

Maroc – Homme au faucon

Maroc – Hommes en attente… d'un lendemain sans promesse…

Maroc – Homme heureux

Maroc – À Fès, les tanneurs travaillent souvent dans des conditions difficiles.

Maroc – En 2003, j'ai enseigné à la radiodiffusion télévision marocaine.

Mauritanie – À Boutilimit, les enfants jouent malgré le vent qui soulève le sable. La chaleur les importune à peine.

Mauritanie – Le «centre-ville» de Boutilimit… c'est-à-dire au bout du monde.

Mauritanie – Un pays où la tradition reste difficilement très présente.

Mauritanie – Les 4x4 servent aujourd'hui, de plus en plus, de moyen de transport.

iStockphoto-bytestrolch

iStockphoto-Ji-Elle

Mauritanie – Jasette dans les rues de Boutilimit.

Mauritanie – Au poste frontalier avec le Sénégal : « SVP, n'oubliez pas le pourboire ! »

En 1983, j'ai eu l'honneur de rencontrer le président-poète-écrivain Léopold Sédar Senghor, quelques jours après son élection à l'Académie française.

Libye – L'amphithéâtre byzantin de Sabratha restauré sous Mussolini.

Libye – Les ruines romaines de Leptis Magna.

Libye – Peut-on imaginer ! Le désert abrite de nombreux lacs.

Libye – Dans le désert, où il n'y a pas que du sable.

Photo : Normand Guérette

Libye – Ici les Touaregs sans frontière parlent le français.

Libye – Un cheval, archéologue à ses heures.

Libye - Jeunes Libyens. Ont-ils contesté Kadhafi récemment?

Libye - Femme voilée et son mari.

Je retourne à Ouarzazate à maintes reprises. Chaque fois, je visite la casbah Taourirt dont l'architecture arabe est unique. Il s'agit d'une forteresse qui a joué un important rôle militaire durant la période où le Maroc tentait de se libérer du protectorat français.

Lors d'un de mes voyages, le maire de la ville me reçoit dans cette casbah. Je parle et partage avec lui un repas et, autour de nous, toujours les mêmes rituels. Nous sommes entourés d'enfants, de danseuses et de cette musique orientale si envoûtante.

En 2000, à Montréal, je rencontre une belle Marocaine au bar de l'*Hôtel de la Montagne*. Elle m'interpelle pour me dire qu'elle me connaît et qu'elle aime quand, à la radio, je parle du Maroc.

– «*Notre ambassadeur vous a même honoré*», me dit-elle.

Elle s'appelle Souad. Je l'invite à venir entendre Enrico Macias à la Place des Arts. Ce fut pour elle une découverte. Après quelques minutes de discussion, je découvre qu'elle est la fille du maire de Ouarzazate. Il fut premier magistrat de la ville de 1978 à 1984. J'avais dîné avec cet homme et je rencontre sa fille près de vingt ans plus tard, au Québec. C'est incroyable! Il est vrai qu'ici les Marocains sont omniprésents.

Après un autre de mes passages à Ouarzazate, je me rends à Erfoud, une immense oasis située dans le désert tout près de la frontière algérienne. Je veux assister au lever du soleil. Sur la route de terre qui ressemble à un tapis rouge, nous croisons de nombreux villages fortifiés. À Erfoud, je suis gâté. En plus d'admirer l'astre de feu, j'aperçois des mirages. Oui, de vrais mirages! Je croyais jusqu'alors que ça n'existait pas. J'avais l'impression que ça appartenait aux aventures de Tintin.

Imaginez! Vous êtes accablé par la chaleur et soudain, vous voyez apparaître un îlot de fraîcheur et de verdure, une nappe d'eau, droit devant vous. Cela ne dure que quelques secondes. En vous approchant, vous réalisez qu'il y a seulement du sable, et encore du sable. Ah! cette nature, ce qu'elle peut nous laisser miroiter.

Maroc

Un coffret de culture remarquable

Chaque fois que je passe par Rabat, la capitale politique et administrative, je m'arrête aux portes du Dâr-al-Mahkzen, palais royal et siège du gouvernement. Je rêve de pénétrer à l'intérieur un jour, mais je sais que cet honneur est réservé aux dignitaires et invités de marque.

À chaque occasion où je mets les pieds dans ce royaume, je suis toujours plus fasciné. Je vante souvent ses mérites et j'en parle tant dans les journaux qu'à la radio. À plusieurs reprises au *Journal du midi,* je fais jouer de la musique berbère. Ce disque m'a été offert par une étudiante en journalisme à qui j'ai enseigné à l'Université de Montréal. Elle m'avait dit :

– « *Monsieur Proulx, j'aimerais vous faire un petit cadeau. Je suis Berbère et voici la musique de mon pays. Vous allez découvrir que nous aussi nous avons de grandes voix.* »

Je découvre une voix du désert qui n'a rien à envier à Céline Dion, une voix qui porte, qui tient longtemps. Bianca, ma belle blonde, elle-même chanteuse, n'en revenait pas. Je l'ai fait tourner à la radio durant des années. À chaque fois, les auditeurs me demandaient où ils pouvaient se procurer ce disque.

Un jour de 1996, je reçois un coup de fil du directeur de la Chambre de commerce Canada-Maroc, Élias Malka. Je ne le connais pas, mais il sait qui je suis.

– « *Vous êtes l'amant du Maroc. C'est de notoriété publique. Vous êtes invité à agir à titre d'animateur lors d'un gala réunissant toutes les personnes en vue de la communauté marocaine de Montréal et du Québec. Nous vous attendons dimanche soir au* Hilton Bonaventure », me dit-il.

– «*Dimanche? Vous ne savez même pas si je suis occupé.*»

Cavalièrement, comme le font typiquement les Marocains, il insiste:

– «*Vous allez venir à l'hôtel* Hilton. *C'est important pour vous!*»

– «...»

Il me dicte ce que je dois faire. Je reconnais bien le ton marocain. Ça fait partie de leurs manières. Ils sont très autoritaires.

Ici, à Montréal, il y a quelques années, des ignares et un avocat sans culture ont traîné un Libanais en justice, parce qu'il avait dit à sa femme «Je vais te tuer». Devant le juge, il a expliqué que c'était une expression. «Je ne te tuerai pas, hein, chérie», a-t-il dit à sa femme. Elle a acquiescé. Au Maroc, des expressions liées à un ton autoritaire peuvent ainsi nous laisser perplexes.

J'accepte finalement d'animer la soirée. Il y a beaucoup de monde quand nous arrivons à l'hôtel. Peut-être mille personnes. C'est très gros. Pendant le cocktail, pas d'histoire de religion, on sert de l'alcool.

Étant donné que je dois agir comme animateur, on m'indique qui sont les personnalités invitées. Il y a Pierre Bourque, maire de Montréal, Louise Arel, ministre de l'Immigration, et l'ambassadeur du Royaume du Maroc à Ottawa, Tajeddine Baddou.

Au cours de la soirée, je présente les discours. À la fin, au moment où je m'apprête à quitter la scène, le directeur de la Chambre de commerce, celui qui m'a enjoint de venir, monte sur la scène et prend le micro:

– «*Je réinvite Gilles Proulx à venir sur la scène.*»

Étonné, j'y remonte. Le directeur annonce à la foule qu'on souhaite rendre hommage au grand amoureux du Maroc que je suis. Je m'attends à ce qu'on me remette un quelconque cadeau typique, un pouf ou un coussin. Au lieu de cela, l'ambassadeur me nomme «Citoyen honoraire du Maroc au nom de Sa Majesté le roi Hassan II».

Je suis ému et très honoré. Cette distinction me remplit de fierté d'autant plus que le Maroc est réellement un royaume extraordinaire, la matérialisation, en quelque sorte, des *Mille et une Nuits*.

Quelques jours plus tard, M. Malka m'amène manger dans un restaurant marocain, rue Saint-Paul dans le vieux Montréal. Le décor, entièrement transporté du Maroc, est magnifique. Les tentures, les sculptures, le plancher de marbre, tout est là.

À l'issue du gala, l'ambassadeur m'avait demandé si, en tant que citoyen honoraire, j'avais un souhait.

– «*On me parle tellement de votre roi, comme nouvelle émotion, j'aimerais le rencontrer.*»

– «*Je vais organiser cette rencontre.*»

De là, ce rendez-vous au restaurant avec Malka. Celui-ci m'explique alors comment me comporter, comment m'habiller, quoi dire: «Éminence, Excellence» en présence du roi. Il m'indique ce que ma blonde devrait faire… un cours express de protocole et de bienséance.

Il réitère le fait qu'il fera tout ce qui est en son pouvoir pour me faire rencontrer Sa Majesté:

– «*Je connais bien Hassan II*», me dit-il.

Quelle occasion pour un type comme moi, parti des ruelles de Verdun!

Je m'initie donc au protocole royal. Je m'attelle à la tâche. Quelles sont les phrases à dire et ne pas dire? Comment m'asseoir? À quel moment utiliser «Votre Majesté» ou m'abstenir? Quand m'incliner?

Malka a l'air sérieux puisqu'il m'aide à me préparer à cette rencontre. Toutefois, quelle ne fut pas ma surprise lorsque j'apprends par les journaux que Élias Malka a été arrêté au Casino de Montréal pour tricherie et qu'on l'a flanqué en prison avant de le déporter dans son royaume. Ma rencontre avec le roi est pour le moins compromise. Toutefois, je considère d'autres possibilités et je prends des informations.

– «*Qu'est-ce que cela me donne d'être "Citoyen honoraire du Maroc"?*»

– «*Cela vous permet d'aller au Maroc quand bon vous semble, sans contrainte…*»

Cet honneur me donne le goût d'un nouveau voyage. J'appelle donc à l'Office national marocain du tourisme :

– « *Ah… Monsieur Ibrahim ! Il n'est plus là. Il a été transféré en Belgique.* »

À Royal Air Maroc :

– « *Monsieur… n'est plus là. Il a changé de fonction.* »

Par la suite, les choses ne se dérouleront pas aussi facilement que je l'aurais cru. Les politiciens, quel que soit leur pays, se ressemblent. Bref, ce certificat de citoyen honoraire du Maroc n'aura été qu'un papier que j'ai remis aux Archives nationales du Québec.

Entre-temps, des gens plus politisés me reprochent mon attachement à ce pays qui maltraite ses objecteurs de conscience. Pourtant je comprenais que la démocratie était encore à venir. Justement, en 2003, je vais à Rabat et je rencontre un ami, Gérard Latulippe, ancien délégué général du Québec au Mexique et à Bruxelles. Il est à la tête d'un institut de développement de la démocratie, financé par le parti démocrate à Washington.

Grâce à ses contacts, il me propose d'aller à la Société nationale de radiodiffusion et de télévision à Rabat pour donner des cours sur la liberté d'expression.

– « *On ne pourrait trouver meilleur candidat* », me dit Latulippe.

Durant ce séjour unique, je forme les journalistes aux techniques d'entrevues, à l'improvisation, à la rédaction des manchettes. C'était un peu le cours que je donnais à l'Université de Montréal. Je leur présente plusieurs styles d'entrevues : décontractées, serrées, curieuses. Puis je leur montre ce que c'est que l'improvisation et la liberté d'expression. Ils sont tous impressionnés. Ils n'en reviennent pas. Les jeunes journalistes qui sont dans la salle de rédaction et qui me regardent en arrière de la vitre du studio viennent me voir. Ils sont abasourdis. Par la suite, je leur donne un exposé sur l'histoire de la radio au Québec. De Marconi à nos jours. Je leur explique le rôle de la radio chez nous. Ils sont en admiration devant ma cataracte de vocabulaire libre. Ces journalistes m'envient carrément.

Bien qu'avec les années le régime semble moins oppressif, l'un d'entre eux me confie :

– « *Nous ne pouvons pas faire cela ici. On ne peut pas se permettre "d'éplucher" un ministre à ce point-là. Nous espérons que cela viendra avec le temps.* »

Ils me demandent si nous devons fournir le texte des questions que nous voulons poser avant l'entrevue.

– « *Pas encore, je leur réponds, mais ne vous en faites pas, avec nos bons hypocrites il n'y aura bientôt plus de grandes différences entre notre sociale médiocratie et votre démocratie censurée.* »

C'est dans un grand livre de photos-documentaire sur le Maroc que j'ai découvert Chefchaouen, une ville du nord-ouest du pays, endroit malheureusement oublié parmi les circuits touristiques. La plupart des agences de voyages n'en parlent pas. Quand j'ai vu cette cité bleu et blanc, j'ai demandé à l'Office national marocain du tourisme où elle se situait, comment on faisait pour s'y rendre ? Gérard Latulippe décide de m'accompagner.

Chefchaouen est bâtie au sommet d'une imposante montagne du Rif occidental, à 600 mètres d'altitude. C'est une très belle ville, très frappante.

Elle a été construite par les juifs et les musulmans qui fuyaient la persécution des inquisiteurs en Espagne. Au XVe siècle, les musulmans sont alors considérés comme les impurs par les chrétiens. Autres temps, autres mœurs, n'est-ce pas ? Ils se sauvent d'Espagne. C'est un peu le retour des choses, puisque les musulmans occupaient une partie de l'Espagne, notamment l'Andalousie, depuis le VIIIe siècle. À leur tour, ils ont construit cette petite ville de Chefchaouen qu'ils vont interdire aux chrétiens.

Dans cette cité énigmatique, le bleu et le blanc sont omniprésents. Comme les habitants croyaient que ces couleurs chassaient les mauvais esprits, ils en mettaient partout. L'effet est saisissant. En s'approchant, on voit au loin cette grande tache bleu et blanc nichée à flanc de montagne.

En me baladant dans ses rues tortueuses, j'ai l'impression de faire un rêve bleu. Aujourd'hui, les juifs sont presque tous partis. Il y en a encore quelques rares douzaines au milieu de leurs cousins musulmans.

Voilà une autre destination à retenir. Elle n'a ni casbah, ni médina. Dans ses rues étroites, ses boutiques vendent des beignets au miel ou de l'artisanat. Quant à ses petits restaurants-terrasses et ses hôtels minuscules qui n'accueillent que quelques touristes à la fois, ils permettent de goûter à la tranquillité. Les seuls bruits qu'on entend sont ceux du ciseleur de bijoux qui cogne sur une pièce en argent. Par ces métiers millénaires, ils perpétuent les traditions juives et musulmanes. Même chose pour les tisserands.

Ce qui m'a surpris, c'est que ce refuge réservé aux musulmans et aux juifs chassés est aujourd'hui le lieu de résidence de nombreux Berbères désormais éparpillés partout sur le territoire. Ils n'ont pas abandonné leurs costumes et leurs traditions. Ils transportent encore du bois, dans les rues tortueuses et montagneuses de cette ville. Ils sont des Marocains à part entière. Ils occupent le terrain, ils sont partout : dans les Atlas, à Marrakech, sur les côtes. On les identifie surtout par leurs habits colorés.

Au Maroc comme en Tunisie, les Berbères sont chez eux étant donné qu'ils parlent la même langue que la majorité arabe. Ce n'est pas le cas en Algérie, où ils revendiquent le droit de parler leur langue. Dans ce régime plus militarisé, ces revendications attirent parfois les coups de matraque. À ce propos, j'ai vu ces femmes qui émettaient des cris aigus. Leurs hurlements dérangeaient la police d'Alger qui ne savait pas quoi faire avec leurs matraques.

Du fait que les Berbères et les berbérophones sont des nomades et qu'ils vivent dans huit pays différents, je pense qu'il sera très difficile de les unifier. Il faudrait quasiment qu'ils fassent un rassemblement et se dotent d'une province et là qu'ils rêvent d'en faire un pays. C'est fort peu probable.

Ils sont avant tout des nomades. Ils peuvent travailler trois ou quatre ans à Chefchaouen, puis migrer vers d'autres endroits. On dit même parfois que les Berbères sont les Esquimaux du désert.

Lors d'un autre voyage de journaliste, nous nous sommes arrêtés dans un bar. Encore une fois, je drague une fille, une Marocaine et je l'amène avec nous à bord de notre car. Le guide n'est pas content. Il est tiraillé. Il me traite de brebis galeuse parce que je prends la Marocaine par le cou. Je suis l'impur qui est en train de polluer une fille de chez lui… En fin de compte, je l'avais embarquée avec nous, car elle habitait 75 kilomètres plus loin et que l'on s'en allait vers son patelin.

Les Marocaines aussi ont parfois de drôles de réactions. Une journaliste marocaine qui travaille avec nous au Québec me dit :

– « *Toi, Gilles Proulx, tu es dangereux. Avec ta séduction, on pourrait partir au bout du monde sans savoir dans quoi on s'embarque. Tu nous fais peur !* »

Je n'en revenais pas de cette perception. Elle me trouvait libertaire, aventurier. J'étais comme l'espèce de Bob Morane du groupe. Elle avait le goût de s'embarquer, mais elle avait peur. Pourtant la belle fille que j'avais fait monter à bord m'avait volé, en m'enlaçant, la chaîne que je portais au cou sans que je m'en aperçoive. Alors, pourquoi avoir peur d'un pauvre naïf comme moi ?

Finalement, nous voilà à Agadir sur les plages noircies par l'éruption volcanique de 1962 où la ville a perdu 40 000 habitants. La ville a été reconstruite à côté. On nous montre encore la montagne avec ses cicatrices.

L'année suivante, dans le désert, je fais la rencontre d'un homme bleu. Il est enveloppé dans ses tissus. Je parle avec lui, je lui demande de le photographier et je lui donne quelques sous. Il me dit :

– « *T'es un bon Français, toi. Un bon Français. Est-ce que je peux amener ta gazelle…* »

Il veut avoir ma blonde, il veut l'emmener dans le désert !

– « *Tu veux me donner ta gazelle ? Elle va être bien traitée.* »

Dès qu'ils voient une blonde, ils deviennent excités et demandent s'ils peuvent prendre la femme qui t'accompagne. Je lui réponds :

– « *Ma gazelle, elle est très indépendante. Moi, je n'ai pas d'autorité sur elle. Ma gazelle, elle est très libre… elle vient du Québec. C'est elle qui décide.* »

– « *Tu veux y aller chérie…* »

La pauvre fille est mal à l'aise. Je reprends des photos et je lui donne encore quelques sous. Il est très poli et malgré mon refus, il ajoute :

– « *Malgré tout, tu es un bon Français. Je t'aime bien.* »

En raison de leur mentalité vis-à-vis des femmes, je ne conseille pas à ces dernières de voyager seules. Dans le désert, c'est risqué. Dans les villes, il y a tellement de touristes que c'est plus sécuritaire. Par contre, ce qui est dangereux pour une fille, c'est de se laisser charmer par un gars et de le suivre dans le labyrinthe, le souk. Il peut la faire disparaître, la baiser, la battre ou l'envoyer à l'étranger. Avant que l'ambassade ne réagisse, le pire aurait eu lieu.

❊

En 2008, je dois quitter les ondes. Les auditeurs me téléphonent :

– « *Ah, on va s'ennuyer de vous, Monsieur Proulx… on aimerait ça, faire un voyage avec vous…* »

Il ne me reste alors qu'une ou deux semaines de radio. Je leur réponds :

– « *Je ne veux plus en organiser. Il y a toujours des braillards que j'aurais le goût de flanquer en bas du précipice !* »

Devant l'insistance, je cède. Je décide d'organiser un voyage. Roberto Medile, le mari de Danielle Oddera, qui a une agence de voyages, entre en contact avec moi. Je lui propose l'Italie. Ça va être facile à organiser.

Par les ondes, nous convions donc les gens souhaitant s'inscrire à se rendre au restaurant *Lanni*, rue Sherbrooke Est. À l'heure dite, nous arrivons chez *Lanni* où il y a… 100 personnes. Tout de suite, trente personnes lèvent la main et achètent le voyage en Italie. Nous visiterons en plus la Croatie et la Turquie. C'était bien.

Il n'y a plus de place pour l'Italie. Reste le problème des soixante-dix autres personnes.

– «*Et nous...*», demandent plusieurs.

Spontanément je leur dis:

– «*Je vous prends au mot, si vous voulez venir avec moi, ce sera au Maroc.*»

Trente-cinq personnes lèvent la main. Le deuxième groupe est fait.

Un mois plus tard, je pars pour ce pays. J'avais certaines craintes parce que, dans ce genre de voyages, il y a toujours des grognards. En fait, je suis tombé sur deux groupes formidables: bons, drôles, curieux, des gens bien.

C'est là que j'ai pu apprécier la qualité de mon auditoire de 98,5 *FM*. J'ai toujours eu tendance à le sous-évaluer. J'avais travaillé tellement longtemps à *CKVL*, où je considérais que l'auditoire était étroit d'esprit. Cette expérience m'a montré que je touchais toutes les couches de la société, des avocats, des médecins, des infirmières, des politiciens, des cols bleus, des gens bien, des commerçants, des voyous. C'était très large comme auditoire. Je garde un bon souvenir de cette clientèle de 98,5 *FM*. Ce sera mon quinzième voyage dans ce royaume. Y en aura-t-il un autre? Peut-être!

Nous parcourons le Maroc du haut en bas. Nous couchons sous la tente au sud d'Erfoud. Nous vivons avec ces Berbères merveilleux avec qui nous prenons nos repas au milieu de cet océan de sable. La nuit venue, nous écoutons leur musique, leurs chansons. Nous parlons abondamment avec les membres du groupe, de la présence du désert dans leur culture, de leurs compositions littéraires et musicales.

Dans les villes impériales, nous les visitons toutes, on nous explique l'importance de ces palais. On décrit leur rôle prédominant, la valeur de la médina par rapport à l'autre ville.

Rabat, c'est la ville royale.

Casablanca, c'est l'ancienne capitale qui était très française à l'époque du général Lyautey, quand il s'est emparé du pays. C'est aussi le lieu de la célèbre conférence qui en 1943, réunit le président américain Roosevelt, le premier ministre anglais Churchill, le général de Gaulle, chef de la France libre, et le général Giraud, ancien vichyste converti à la résistance. La réunion s'est déroulée dans les grands jardins de l'hôtel *Anfa* où s'est joué un bras de fer entre Roosevelt, qui voulait voir Giraud à la tête des forces de la France libre, et de Gaulle. Ce dernier, qui n'a jamais vraiment fait confiance aux Anglais et aux Américains, et avec raison, en a été insulté. Finalement, le Conseil national de la Résistance, présidé par Jean Moulin, eu raison de Giraud et de Gaulle prit le commandement de la France libre.

Pour sa part, Agadir, est une ville hautement touristique, la Côte d'Azur marocaine, alors que Marrakech nous observe de ses mille ans avec ses métiers tout aussi vieux. Dans cette cité, notre groupe de voyageurs est pris dans le tourbillon du souk, ayant l'impression de s'y perdre. Chacun écoute les bruits incessants du va-et-vient de la foule et en ressort comme assommé… pour ensuite arriver sur cette grande place immense où il y a des centaines d'attractions : charmeurs de serpents, gars qui s'amuse avec des chimpanzés, boxeurs, arracheurs de dents ! Là, on nous invite à monter sur la terrasse d'un restaurant au deuxième étage… Bien entendu, on nous fait payer pour prendre une photo des lieux. C'est à cet endroit que des terroristes ont placé une bombe en mai 2011, faisant de nombreux morts et blessés, surtout des Français.

Toujours, à Marrakech, il y a ces pancartes qui annoncent : « Ce soir, ne manquez pas le combat de boxe entre Amri untel et Omar… » J'assiste à l'affrontement. Je veux voir si le calibre vaut le talent des Hilton, Ouellet, Luca et compagnie. Durant ce temps, les auditeurs que j'accompagne profitent du temps libre. Chacun va à différents événements et, à vingt-trois heures, on se retrouve à l'hôtel, notre point de rencontre. C'est très bien organisé. Pour une des rares fois dans ma vie, j'adore être chef de groupe.

Au début de chaque journée, je m'adresse à eux :

– « *Ce matin, nous allons traverser les Atlas. Vous remarquez des ressemblances avec les Laurentides. Après quoi, vous aurez l'impression d'être dans les Rocheuses : la géographie change. De l'autre côté, nous allons arriver à la porte du désert. Ce n'est pas le désert de sable, c'est le désert rocailleux. On est encore loin des dunes.* »

Arrivés à destination, le guide marocain, un historien, très ferré, prend le relais. Il explique l'architecture, l'historique de la médina ou d'un palais royal, la gastronomie.

J'ai bourlingué seul ou avec des journalistes, mais aujourd'hui je suis prêt n'importe quand à courir le monde avec un groupe. Dans cette optique, on avait organisé un voyage en Inde, mais on a dû tout annulé à cause de l'attentat à l'hôtel *Taj Mahal* de Mumbai. La même chose est arrivée avec Israël. Un attentat contre un autobus de touristes nous a obligés à tout décommander. C'est peut-être parce que je choisis des destinations difficiles. Avouons-le, l'industrie touristique en est une fragile.

❊

L'année 2008 marque mon dernier séjour au Maroc. Lors du prochain, je veux amener Bianca. Je lui en ai tellement parlé, ça la fascine. Je suis passé à tellement d'endroits, je voudrais lui raconter les expériences humaines et les rencontres que j'y ai faites. Le Maroc, c'est comme mon deuxième pays. Je veux le partager avec elle.

Je crie sur tous les toits que, pour la photographie, c'est le plus beau pays au monde. Je ne dis pas que c'est le plus beau pays : la Suisse a son charme, le Québec son Saint-Laurent, la France ses constructions historiques, l'Italie le raffinement. Il m'est très difficile de dire quel pays est le plus beau au monde. Je dis simplement que, pour la photographie, le Maroc est un pays d'inattendu, d'émerveillement et de surprises, de demi-heure en demi-heure. On y trouve les hautes montagnes de l'Atlas, les plus petites du Rif, le désert, la côte atlantique. Il emmagasine tout. On y voit des tribus berbères dont les costumes se métamorphosent d'une région à l'autre. On y croise les Arabes et leurs traditions si exotiques pour un Occidental. Les Romains, les Français, les Espagnols ont laissé leurs traces. Au bout du compte, tout cela s'épanouit dans un ensemble qui est un coffret de culture exceptionnel. Dans ce sens, c'est un pays immensément riche, qui a beaucoup à offrir à quiconque veut s'ouvrir les yeux et les oreilles.

Mauritanie

ALGÉRIE
SAHARA
OCCIDENTAL
Océan
Atlantique
NOUAKCHOTT
Boutilimit
Rosso
Saint-Louis
SÉNÉGAL
MALI

Mauritanie

Le marché aux esclaves

En 1983, en plus de travailler à la radio, je suis professeur titulaire, chargé de cours en journalisme radiophonique à l'Université de Montréal. J'ai la chance de participer à des échanges entre le Canada et les pays membres de la francophonie. On me propose d'enseigner à l'Université de Dakar, à des Africains venus de divers États de ce continent, les techniques nord-américaines du journalisme. Pendant les douze semaines que dure cet échange, je prends le temps d'explorer le Sénégal et ses environs.

Vers la fin de mon séjour, en mai, une occasion se présente. Des amis qui travaillent pour l'Agence canadienne de développement international (ACDI) ont des camarades mauritaniens. Ils m'invitent à les accompagner à Nouakchott, la capitale dont je n'avais jamais entendu parler. C'est donc par le Sénégal que j'entre en Mauritanie. Cette capitale et ce pays ne me disent pas grand-chose. Je connais la République islamique de Mauritanie par les nombreux coups d'État qu'elle a subis. Les conflits avec le Front Polisario tirent à leur fin. Comme il n'est pas en guerre, ce pays n'attire pas la presse internationale. Il est donc « à l'abri » des yeux occidentaux. Quant aux nombreux coups d'État, ce sont des nouvelles qui passent rapidement dans l'actualité. On dirait que, dans certaines contrées, les changements de gouvernement sont à ce point fréquents que les nouvelles n'en parlent même pas.

Nous nous dirigeons, mes amis et moi, vers la frontière mauritanienne. Nous arrêtons notre véhicule juste avant de pénétrer dans ce royaume du sable, là où se situe la dernière ville du Sénégal, Saint-Louis. Voilà une des premières villes européennes construites en Afrique occidentale. Elle a été fondée à peu près à la même époque que la Nouvelle-France. En regardant ces maisons, leur architecture d'influence bretonne et normande, on se croirait dans certains quartiers de la Nouvelle-France. Dans la ville, je découvre le témoignage du passage d'hommes célèbres. Louis Antoine de Bougainville, navigateur et explorateur français qui passa aussi sur les Plaines d'Abraham, Antoine de Saint-Exupéry et Jean Mermoz, tous deux aviateurs, qui ont laissé derrière eux des lettres ou des photos aujourd'hui accrochées sur les murs des cafés et des hôtels. Bien entendu, je m'y arrête pour prendre un verre. Avec ses bâtiments coloniaux, Saint-Louis est désormais un lieu d'attraits touristiques et historiques.

Cette agglomération est une découverte pour moi. J'avais entendu parler de cette colonie, mais mes souvenirs étaient lointains. En regardant la carte géographique, je constate que cette cité est importante. Elle a été la capitale du Sénégal avant que le centre du pouvoir ne déménage à Dakar. Saint-Louis a été implanté au sud du fleuve Sénégal, qui sert de frontière avec la Mauritanie.

Traverser ce fleuve au poste frontière de Rosso représente tout un exploit. Les traversiers sont des barques, qu'ils appellent baraques. Il s'agit de barges très rudimentaires. Les bagnoles et les camions remplis d'animaux, de vaches ou de chevaux qu'on s'apprête à vendre, ou qu'on a échangés sont au milieu. Les passagers sont accotés sur les garde-fous.

Une fois le fleuve Sénégal franchi, nous arrivons en Mauritanie, où nous sommes accueillis dans un poste douanier très modeste, une bâtisse jaune et austère. Les douaniers, qui ne sont pas animés de suspicion, nous apprennent que nous sommes des étrangers !

– « *Et alors ! Que venez-vous faire ici ?* »

Le Sénégal est un pays musulman, mais il y a une forte communauté chrétienne. Nous voilà donc en zone presque exclusivement musulmane. Je l'ai senti dès la frontière. Les djellabas et les visages voilés sont plus nombreux qu'au sud. Au Sénégal, la plupart des femmes, très élégantes, portent des boubous multicolores. Même si le pays est censé être à l'enseigne de l'ignorance et de l'illettrisme, les Sénégalaises ont le don d'agencer les couleurs. Elles pourraient donner des leçons à nombre de Québécoises.

Arrivé en Mauritanie, même si autour de moi les gens portent la djellaba, je reste habillé à l'occidentale. Je me fais regarder… Plus nous pénétrons dans le territoire, moins nous rencontrons de gens… et plus il y a de sable. Nous avançons dans le véritable Sahara des dunes. Sur fond doré apparaissent des points blanc et bleu, les hommes du désert qui partent d'ici et qui se rendront à plus de cinq mille kilomètres à l'est, jusqu'en Égypte.

✲

C'est là que j'ai vécu véritablement ma première expérience du désert… et ma première tempête de sable. En Tunisie, quatorze années auparavant, je n'en avais eu qu'un avant-goût avec une tournée de quelques heures. Je retournerai plus tard dans le désert algérien et marocain.

Nous sommes à une centaine de kilomètres de Nouakchott, la capitale, quand, tout d'un coup, le vent se lève et soulève le sable. Il n'y a plus de visibilité comme lors d'une tempête de neige… à la différence qu'il fait très chaud. Mon ami met en marche les essuie-sables sur notre voiture de location. Celle-ci fonctionne à plein régime et elle est à bout de souffle parce qu'elle absorbe du sable. C'est très impressionnant. Un spectacle hallucinant.

Au bout de quelque temps, de gros véhicules, des chasse-sables, arrivent pour dégager la route. Voir les gens du gouvernement, chargés d'entretenir les routes, arriver avec leurs équipements pour tasser le sable. Inimaginable ! Ces violentes tempêtes rappellent que le Sahara gagne du terrain. Les autorités cherchent à contenir cet envahissement.

Nous continuons à avancer péniblement vers Nouakchott avec ce vent, qui siffle continuellement. Subitement, à travers ce rideau de sable, j'aperçois huit à dix dromadaires accroupis qui forment un cercle. Au milieu, des Touaregs, emmitouflés jusqu'au cou. Les hommes portent tous des lunettes de soleil et se mettent la tête entre les genoux. Les bêtes, que je croyais clouées sur place à cause de la vélocité des rafales, leur servent de rempart contre les douloureux coups de fouet qu'assène le sable.

Décidément, ces robustes animaux sont absolument formidables, aussi costaux que l'homme bleu lui-même. En saison chaude, elles peuvent se passer de boire pendant deux ou trois semaines. Quelques branches d'arbustes, des dattes constituent leur frugal menu. On m'apprend qu'une membrane, semblable à un store transparent, protège leurs yeux de la violence du sable. Voilà pourquoi elles peuvent rester accroupies, les yeux ouverts, à affronter la tempête. J'apprends aussi que les dromadaires possèdent un système interne de refroidissement corporel.

Leur air maussade laisse croire qu'ils ont mauvais caractère. Ils grognent quand on les approche et dès qu'on veut les faire lever ou descendre. Mais quelle belle créature et quelle utilité ! Je comprends l'amour que portent les Touaregs à leur pauvre quadrupède dont la vie utile doit durer le plus longtemps possible.

Après cette initiation, je sympathise avec les Mauritaniens qui immigrent au Québec et qui vivent leurs premières tempêtes de neige. D'ailleurs, un jour, je rencontre des Africains à l'*Hôtel de la Montagne*, à Montréal. Je leur demande :

– « *D'où venez-vous ?* »

– « *Nous venons de Nouakchott.* »

Quand je leur parle de mon séjour lors de cette tempête, l'un d'eux me dit :

– « *Pensez-vous que votre désert blanc n'est pas plus encombrant que le nôtre ?* »

– « *La neige est moins violente dans le visage que le sable.* »

– « *Peut-être, mais nous nous couvrons, nous nous protégeons à notre façon.* »

Nul doute ! Il est sûr qu'une tempête de sable est plus rude qu'une de neige.

Arrivés à Nouakchott, nous arrêtons dans un poste d'essence. Quand le pompiste nous sert, même l'embout de son pistolet est enveloppé et protégé. Lui-même est plié pour résister au vent. Ensuite dans un coin du garage, nous devons passer l'aspirateur afin de nettoyer l'intérieur de la voiture. On n'oublie pas sous le capot, le radiateur et le moteur.

Le sable, tellement insidieux, pénètre partout : à l'intérieur de nos vêtements, dans nos poches, même dans l'appareil photo. Je n'en reviens pas !

À la douane, on nous avait avertis: «Enveloppez vos appareils, au cas où.»

À l'aller, je ne verrais pas grand-chose de la capitale: du sable, du sable et encore du sable! Le ciel est très bas et en est saturé. Au retour, sous un beau firmament bleu, je vais découvrir une ville toute blonde. Les bâtisses sont blondes, puisque construites à base de sable. Les édifices administratifs, «souvenirs» laissés par la France, sont pour la plupart en béton.

❊

Voilà une contrée où l'homme, un peu comme au nord, doit combattre constamment les éléments de la nature. Ce ne sont pas des pays de repos comme la Polynésie ou Hawaï, qui jouissent, la plupart du temps, d'un climat paradisiaque.

Je pense que la géographie a une influence sur le développement des individus et sur la dureté de l'homme. Aucun doute, la géographie joue un rôle dans le développement physique de l'humain. Au Québec, les hommes ont été longtemps des costauds parce que nos ancêtres étaient des bûcherons et des piocheurs de terre. Ici, c'est la même chose. À lutter contre les éléments, les hommes deviennent costauds, durs, virils.

Je suis un gars… foncièrement macho. J'admire la rudesse, les sports durs. J'admire la virilité, celle des militaires, des corps d'élite spécialisés et des soldats de la Légion étrangère qui ont vécu dans le Sahara. Je respecte les armées bien entraînées, les paras français, les Marines. Cependant, au-delà de cela, je cherche toujours l'humain qui est entraîné à la dureté, à la menace, à l'intrépidité.

Ces Touaregs sont des intrépides, des durs. Je trouve ça plus inspirant qu'un homme «feluétisé…» comme on en trouve dans nos sociétés évoluant dans la modernité. Indéniablement, ce modernisme ramollit les corps et les esprits.

Les animaux qui symbolisent la force et l'indépendance, notamment les félins, m'inspirent le respect. Je préfère un chien errant à un chien de salon, parce que je me dis que le premier n'attrapera pas les maladies que le second va contracter en raison de son environnement trop aseptisé.

Quant au chat de ruelle, c'est un voyou que j'aime beaucoup. J'aime le voir traîner dans les rues, sans se soucier de la bagnole qui s'en vient, car il sait qu'il est assez rapide pour s'éloigner du risque. Je tiens en estime le chat de ruelle parce que c'est un voyou qui a peut-être passé la nuit à guetter un oiseau ou un rat pour se nourrir. Il est dans un état de survivance continuel.

L'homme du désert a ses agglomérations, ses oasis, pour aller s'alimenter. Toutefois, la dureté de sa vie s'exprime dans le long trajet qu'il devra faire avant d'atteindre cet espace de repos qu'est l'oasis ou la ville. Les difficultés qu'il affrontera pour parvenir au marché afin d'acheter ce dont il a besoin pour se nourrir et pour alimenter son dromadaire lui donnent sa force. Son animal endurci par les conditions géographiques et la nature dans laquelle il évolue est aussi une bête admirable.

Cette symbiose entre la nature, l'homme et les animaux qui lui sont utiles m'amène à me questionner sur la création et mes croyances. Quand je suis seul dans le désert et que, le jour, j'observe intensément les vastes étendues sableuses et, la nuit, ce ciel illimité, je ressens toute ma petitesse dans cet univers. Je m'interroge sur la beauté de la création et, en vieillissant, car il y a vingt ans je ne raisonnais pas ainsi, je me réconcilie avec une certaine Foi.

Que ce soit la nature elle-même, ou qu'il y ait un créateur, je suis toujours émerveillé par la multitude de ses expressions qui nous entourent et par la complicité des rapports entre l'homme et l'animal. Toi, le dromadaire, tu vis dans un endroit où il n'y a pas d'eau, et la nature ou le créateur t'a doté d'un mécanisme de refroidissement qui fait en sorte que tu n'as pas besoin de beaucoup boire pour vivre. Toi, le reptile, la nature ou le créateur t'a mis dans un lieu où il y a de l'eau et où tu es utile dans la chaîne de la vie. Vous, les oiseaux, la nature ou le créateur vous ont dotés de capteurs qui vous indiquent quand partir en groupe chaque automne, quand revenir à une date presque fixe… comment atterrir aux mêmes endroits. Toutes ces merveilles de la création m'interpellent.

Récemment, depuis la fenêtre de mon appartement de Brossard qui donne sur le fleuve Saint-Laurent, je voyais des renards qui jouaient sur la glace. Je me questionnais : « Que faisaient-ils dans ce milieu urbanisé ? Qu'avaient-ils fait durant la nuit ? »

Peut-être, faute de fermes aux alentours, avaient-ils visité des conteneurs à vidanges pour trouver des restants de table ! De toute façon, grâce à leur « intelligence », ils se sont adaptés à la situation. Peu importe que ce soit la nature ou le créateur qui les aient dotés ainsi de cette faculté, le monde animal est d'une pureté admirable et fournit à la vie un charme extraordinaire.

❁

Quand je suis entré en Mauritanie, j'ai tout de suite noté que nous étions sur un territoire aux antécédents mauresques. Les Maures sont allés jusqu'en Espagne pour l'occuper durant 800 ans. Pour moi, cette contrée est la plus résistante au Maghreb et la plus vigoureusement musulmane.

Aujourd'hui, ce pays vit sous un régime militaire. Au poste frontalier, j'avais noté la présence de beaucoup de carabines. Sur la route, nous croisons plusieurs camions militaires. Nous voilà donc sur un territoire plus hermétique, moins touristique que le Maroc et moins décontracté que le Sénégal.

Les Mauritaniens vivent en vase-clos, ce qui rend cette terre inhospitalière aux touristes. Bien qu'ils veuillent devenir une destination plus attrayante, notamment en mettant de l'avant les charmes de leur bord de mer, ils n'attirent que 40 000 à 60 000 curieux.

❁

Après un arrêt rapide à Nouakchott, nous mettons le cap sur Boutilimit. Quel coin perdu ! À l'époque il était impossible de la trouver sur une carte. À 160 kilomètres au sud de la capitale, après deux bonnes heures et demie de route, nous arrivons dans un hameau. Il y a bien sûr la mosquée qui hurle à différentes heures du jour.

Boutilimit, devenue un village au XIXe siècle, est en fait une oasis qui accueillait jadis les caravaniers. La Légion étrangère y avait construit un fort. Même si l'empire français s'est écroulé dans les années 1960, le fort est resté là, solide. C'est l'attraction et on nous y invite à dormir. À l'époque, l'endroit est fermé depuis, il en coûtait trois ou quatre dollars la nuit avec un petit-déjeuner.

Là je passe ma première nuit dans les dunes du Sahara. L'immensité recouvre nos têtes. Le firmament unique et pur s'étend à perte de vue. Je suis émerveillé, empli d'émotions.

Comme chaque fois, quand je me trouve sous cette voûte étoilée qu'aucune pollution lumineuse ou humaine ne vient profaner, je médite sur notre place dans cet univers. Nous ne sommes qu'un puceron violent, qui chiale et qui s'imagine avoir la connaissance. Il faut bien l'admettre, je ne suis qu'un petit rouage dans cette création. Ma foi en est secouée.

Je veux bien ne pas croire, j'essaie de me forcer à ne pas croire qu'après la mort, il n'y a rien, mais j'ai de plus en plus de mal à l'imaginer.

Au cours de ma carrière, j'ai fait plusieurs émissions de radio sur l'existence de Dieu. J'ai interviewé de nombreuses personnes : des croyants, des athées, des savants, des astrophysiciens comme Hubert Reeves. Toujours la même question : « Dieu existe-t-il ? »

Peu de personnes ont été capables de répondre, mais, parmi tous ces gens, un professeur de l'Université de Montréal m'a donné la réponse suivante :

– « *Quand je vois ces rendez-vous de la nature, je vois la fidélité de celle-ci, la contribution dans la chaîne de la vie du monde animal, le monde floral, je n'arrive pas à ne pas croire…* »

Il m'avait impressionné.

D'autres disaient :

– « *Nous sommes un accident dans la création. Nous ne devions pas naître. La preuve, nous sommes le dernier des animaux apparus sur Terre. Il y aurait eu une erreur dans le grand mouvement de l'Horloger, comme on l'appelle. Nous ne devrions pas être là.* »

C'est vrai, nous sommes les derniers animaux arrivés. Mais alors, pourquoi a-t-on créé tant d'éléments vivants avant nous sur cette terre ? Pourquoi en sommes-nous arrivés là : être le dernier des animaux de la création et ne pas être plus raisonnable.

Toutes ces réflexions, transportées dans la nuit du désert, me remuent. J'imagine que si j'étais au pôle Nord, ce serait probablement la même chose. À moins que les conditions de froideur extrême ne m'empêchent de penser, et que je passe toute mon énergie à les combattre et à essayer de me réchauffer.

Dans le désert, la nuit, je ne suis pas incommodé par les cinquante degrés Celsius qu'il fait le jour. La fraîcheur encourage plutôt la réflexion.

À Boutilimit, les autochtones savent que les étrangers sont émerveillés par le ciel de la nuit. Ils le savent par ceux qui sont passés avant moi ou peut-être par ces légionnaires qui ont habité ce fort bien avant que j'y vienne.

Ils nous réveillent vers une heure du matin pour nous faire voir cette immensité au-dessus de nos têtes. L'effet est inimaginable.

J'ai l'impression de vivre une retraite spirituelle et intellectuelle dans un lieu géographique tellement différent d'un monastère. L'image de ce fort en cette nuit mauritanienne reste profondément gravée en moi.

Ce souvenir m'est revenu avec beaucoup d'acuité quand, au moment où je rédigeais ce livre, j'ai assisté à la projection du film *Des hommes et des dieux*, du Français Xavier Beauvois. L'histoire de ces moines de Tibhirine en Algérie a de quoi nous interpeller. Ces trappistes sont tellement purs et bons. Qu'on ne me parle pas de pédérastie ou d'homosexualité. Ils sont à un âge où leur libido s'est apaisée… On voit la bonté et la charité sur leur visage. On comprend le dévouement de toute une vie à soigner, l'un d'entre eux est médecin, à aider des pauvres, notamment les Berbères. On saisit leur abnégation quand, la veille de Noël, avec deux petites bouteilles de vin comme grand festin, ils célèbrent l'arrivée de leur Seigneur. Ces moines ignorent que le lendemain matin, par la folie de l'homme, ils ont rendez-vous avec la mort.

Ce film m'a fait réfléchir sur ma présence sur cette Terre. Comme lorsque j'étais à Boutilimit. Pour moi, cette nuit saharienne, au cœur d'un pays musulman, était comme une retraite monastique qui rend la réflexion obligatoire.

*

La Mauritanie étant un État francophone, il y a toujours possibilité de trouver un jeune guide improvisé. Le lendemain matin l'un d'eux m'aborde et me dit :

– « *Venez au marché.* »

Je n'ai pas envie de le suivre par un soleil de 40 °C pour voir se tordre les céleris. Il insiste et je cède. Il fait si chaud que les légumes sur les comptoirs sont presque cuits au soleil. J'ose croire qu'ils sont en solde.

Nous traversons les lieux quand, tout à coup, je vois au bout des étals, une estrade sur laquelle se tient tout un lot de petits gars et de petites filles âgées tout au plus de quatorze à seize ans.

Un garçon à peine plus âgé tourne autour d'eux et se fait le messager auprès d'espèces de pachas qui sont installés en bas, plus loin. Par leurs djellabas et leurs beaux souliers, je vois que ces Mauritaniens occupent un niveau social élevé, donc assez à l'aise. À proximité de l'estrade, il y a des camionnettes, les fameux pick-up qui attendent. Je vois les riches marchands gesticuler.

Je m'exclame :

– « *Qu'est-ce que c'est ?* »

Mon guide ne répond pas.

Quand le garçon, qui semble évaluer la marchandise, touche aux hanches et aux fesses d'une petite fille, ce n'est pas un tripotage sexuel. Il est en train de vérifier sa valeur et sa santé, car elle pourrait servir de bonne à tout faire. Il répète les mêmes gestes pour évaluer les muscles d'un petit gars. Un des pachas fait signe qu'il est satisfait. Les enfants montent dans les camions qui démarrent sans attendre. Il est en train de les acheter !!!

Les autres restent à défiler dans l'attente d'être acquis par les négriers modernes. Je me serais cru sur le parquet de la Bourse. Les acheteurs désignent l'enfant qu'il convoite : celui-ci, celle-là ! Parfois ils chipotent sur le prix. Ces adolescents serviront leur nouveau maître durant un certain nombre d'années.

Je viens d'assister à un marché aux esclaves. Incroyable!

Mon «éclaireur», qui a à peine seize ou dix-sept ans, est déjà un adulte puisqu'il a été élevé à la dure. Il vit dans un pays difficile, dans une société rigoureuse et son expérience de vie diffère de celle d'un Nord-Américain trop gâté. Il est bien loin du rock'n'roll, du hockey et de la gomme à mâcher à saveur de framboise. Ici, la vie est rude. Dès leur plus jeune âge, les enfants savent ce que veulent dire conflits, chicanes et valeurs religieuses. Alors, quand je lui lance:

– «*C'est un marché aux esclaves!*»

il m'explique:

– «*Non, non, non! Ce sont les parents qui donnent leur fille ou leur garçon parce qu'ils veulent avoir l'assurance qu'ils pourront goûter à un mode de vie plus acceptable. Avoir trois repas par jour...*»

Je lui rétorque:

– «*Oui, mais, la bonne elle ne fera pas que de la soupe ou nettoyer le dessous du lit.*»

Il ne répond pas. Je renchéris:

– «*L'esclavage a été aboli.*»

– «*Oui, mais vous êtes à Boutilimit, le message n'a pas encore passé ici.*»

Inimaginable! Il a eu au moins l'honnêteté de l'avouer.

Quel voyage! La nuit, je réfléchis sur le sens de la vie et, le lendemain, j'assiste à un marché aux esclaves. Quel contraste!

J'ignore si les choses ont changé depuis, mais j'ai bien peur que, dans certains coins reculés d'Afrique, l'esclavage existe toujours. Il n'y a probablement que la présentation, l'enrobage, qui varie.

D'après mes observations, ce sont des pratiques plus africaines que nord-africaines. Ces us et coutumes perdurent dans l'Afrique noire. Si elles ont existé au Maghreb, les échanges avec l'Europe et le tourisme ont fait évoluer les mentalités.

Je me demande parfois, si les négriers portugais, espagnols, français et anglais ne se sont pas « inspirés », ce qui ne les excuse pas du tout, de ce qui se faisait déjà sur ce continent. Ces marchés aux esclaves existent depuis la nuit des temps, bien avant la colonisation. On ne peut nier que cette « industrialisation » de l'esclavage a été soutenue par des collaborateurs locaux. Le rôle des rois négriers Wolof du Cayor et Toutcouleurs est aujourd'hui connu.

Au Sénégal, j'ai visité l'île de Gorée qui était l'auberge de rassemblement des esclaves avant leur départ. Sur les bâtisses, on peut lire toutes sortes d'écriteaux : « Combien de caravelles sont parties de cette oasis avec ces enfants qui pleuraient. » Ce lieu est rempli de mauvais souvenirs, mais la vue de ce marché de Boutilimit, en plein XXe siècle, m'a beaucoup plus choqué. Quand je parle de la Mauritanie, ce souvenir me revient constamment.

*

Au fur et à mesure que la journée avance, il fait de plus en plus chaud. On ne peut pas rester longtemps à l'extérieur. Et puis, il n'y a plus rien à voir. À l'époque, la population de Boutilimit devait être d'environ 10 000 personnes. C'était le bout de la route des caravaniers. J'ai constaté la présence, ici et là, de quelques baraques, des huttes, des tentes appartenant à des Arabes ou des Berbères. Seul le fort français est impressionnant. Il a fait partie d'un chapelet de forts répartis au Maroc, en Algérie, au Sénégal, au Gabon et au Congo.

Ici, en 1960, l'indépendance s'est faite en douceur. Ce que les Mauritaniens ne disent pas, c'est que de Gaulle leur a facilité la tâche. Le général va donner l'exemple au monde entier en décolonisant l'Afrique, la francophonie au complet. L'Algérie fut une exception, car il y avait un million de Français qui, en plus de cent ans de colonisation, s'étaient enracinés. Ils avaient développé les infrastructures, c'était plus délicat. Tandis que le Maroc, la Tunisie et la Mauritanie étaient des protectorats avec une présence de la Légion étrangère. Il est certain qu'aujourd'hui les Mauritaniens se valorisent en disant : « On a atteint l'indépendance. » Dans les faits, ils ont eu droit à un genre de sauf-conduit qui avait pour condition de continuer à maintenir des relations avec Paris. Certains vont appeler cela du néo-colonialisme. C'est exagéré. La France s'est défaite de ses colonies pour des raisons monétaires. Son empire lui coûtait tellement cher avec les dispensaires, les hôpitaux, les chemins de fer qu'elle n'avait plus les moyens de se le payer.

À l'époque, il ne semble pas qu'il y ait eu assez de richesses naturelles à tirer du territoire pour couvrir les coûts de la colonisation. Aujourd'hui encore les autorités ne sont pas pressées d'exploiter le pétrole qui se trouve au large des côtes mauritaniennes.

Le départ de la France ne semble pas avoir amplifié la pauvreté. L'économie de base est quasiment millénaire. Là où la situation a peut-être changé, c'est dans les villes où les commerçants de l'époque profitaient de l'argent dépensé par les populations françaises qui étaient généralement dans la fonction publique.

Aujourd'hui, Boutilimit est passé à 30000 habitants. Cet accroissement de sa population s'explique par le fait qu'elle abrite plusieurs grandes écoles coraniques comme le voulait son fondateur, le mystique érudit Cheikh Sidiya Elkebir.

Mauritanie

La tente berbère

Sur le chemin du retour vers le Sénégal, mon attention est attirée par une tente berbère. Nous décidons de nous arrêter. Devant l'immense tente, un très bel homme est entouré de quatre jolies femmes drapées d'étoffes de toutes les couleurs. Grand, fier, il est magnifique. Nous sommes peut-être à cinquante mètres de la tente quand il nous lance, en levant la main :

– « *Étrangers, venez prendre le thé de l'amitié !* »

Nous marchons vers la tente. Nos souliers pèsent lourd tellement le sable s'infiltre. À l'arrière-scène, une centaine de dromadaires se promènent en toute liberté. Aucun n'est attaché comme c'est souvent la coutume. J'ignore si le troupeau appartient à l'homme qui nous a fait signe, mais on aurait dit des bêtes sauvages, comparables à une harde de chevreuils ou de caribous, comme on en rencontre parfois dans le Nord du Québec. Ici, dans le Sahara, sur le bord du chemin, le spectacle s'avère pour le moins inusité.

Je ne le sais pas encore, mais je m'apprête à assister à une cérémonie du thé qui me laissera un souvenir impérissable.

Le musulman au corps d'athlète et à la voix grave parle un excellent français. Il mène ses femmes à coup de claques dans les mains, avec des gestes très brusques. Le parfait macho dominateur. Sa dernière femme doit avoir dix-sept ans, elle est toute belle. Il en a quatre, la limite permise par sa religion. Ce doit être un homme en moyen, puisqu'il les entretient toutes les quatre. La plus vieille, très jolie, a trente-huit ou trente-neuf ans, la deuxième trente et un ou trente-deux, et la troisième, vingt-cinq à vingt-sept ans. Il a l'air d'aimer la chair fraîche !

Je vois à leurs vêtements multicolores qu'elles sont des Berbères. De plus, leur visage n'est pas voilé, mais elles ont les cheveux couverts. Le mari leur parle en tamachek. Après qu'il a frappé dans ses mains, trois des femmes se retirent au fond de la tente. Elles murmurent, rient et parlent. Elles gloussent peut-être parce que l'étranger que je suis semble bizarre à leurs yeux! Bizarre en effet, c'est la plus âgée qui attire mon regard. Sa figure, non obstruée par le voile islamique, est d'une beauté saisissante. Comment a-t-il pu la repousser et passer à sa deuxième, plus ordinaire, alors que sa troisième me paraît trop costaude? Quant à sa dernière, il s'agit d'une gamine déjà marquée par la rudesse de la vie, alors que la plus «vieille» était, à mon goût, la plus fatale...

Toujours sur un ton autoritaire, il demande à la plus jeune de préparer le thé. Au bout de quelques minutes, elle s'approche pour verser du thé à la menthe très sucré dans de petits verres. Elle porte un tissu blanc que transpercent les rayons du soleil, ce qui révèle les courbes de son corps. Là, moi, avec mes yeux de photographe, à moins que ce ne soit ceux du maquereau, je remarque la beauté du tableau. Mon hôte constate que mon regard s'est un peu trop attardé sur le spectacle! Il ordonne promptement à l'épouse de se retirer.

La scène est si tentante à photographier que j'ai le réflexe de saisir mon appareil photo. Il touche à mon appareil, puis pose sa main sur mon bras:

– «*Tu ne photographies pas.*»

En quelques secondes, il n'y a plus d'amitié, plus de thé de bienvenue. Outré, il m'interdit formellement de déclencher mon appareil. L'atmosphère s'alourdit encore un peu. J'ai beau lui dire:

– «*Mais, Monsieur, c'est un tableau que vous m'offrez là. Donnez-moi la chance de faire une photo. C'est une image que je ne reverrai jamais.*»

Je le supplie, il me reproche d'avoir été un intrus et de ne pas avoir respecté ses coutumes. Il m'affirme que cet appareil veut prendre une partie de sa vie. Un peu comme si je l'avais tiré avec un revolver, quoi!

Je voulais immortaliser cette scène, digne de *National Geographic*: le grand Berbère en avant-plan, les trois autres femmes à l'arrière et la plus jeune, avec la théière.

J'essaie de ramener la conversation. Je lui parle du Québec, du Canada, de nos mœurs, de l'équipe de hockey des Canadiens de Montréal ou de la ville souterraine, rien n'y fait.

Je tente de lui expliquer à nouveau que cette image représente pour moi un chef-d'œuvre. L'homme reste de glace, les yeux fixés sur mes gestes et particulièrement sur mon appareil. Décidément, il n'a pas apprécié mon idée.

Je me résous à avaler mon thé d'un trait et, avec mon confrère, nous prenons congé. Je le salue d'un :

– « *Salamalikoum.* »

Il me répond, tout en restant devant sa tente :

– « *Alikoum salam.* »

De la voiture en marche, je le regarde rapetisser dans mon rétroviseur. Il est debout devant sa tente. Le tableau est unique et, petit à petit, un vent torride soulève le sable et le fait disparaître derrière un rideau.

Chez ces nomades, le cérémonial qui entoure l'offrande du thé revêt une grande importance. Voilà ce que j'ai brisé.

La possibilité ou pas de prendre une photo dépend de la région géographique ou de la communauté dans laquelle on se trouve. Les hindous et les bouddhistes sont généralement très heureux de s'y prêter. Dans les pays de l'Est ou en Amérique du Sud, il n'y a pas de difficulté. On voit bien que c'est culturel. Au Maghreb, c'est plus ou moins facile. Avec les dix à douze millions de touristes et les bakchichs que cela leur rapporte, il y a rarement des problèmes. Là, en Mauritanie, j'étais sur un territoire plus primitif, beaucoup moins atteint par les influences extérieures. J'ai commis un impair et c'est ce qui a offusqué ce grand Berbère.

Cela aura été un rendez-vous manqué… comme dans la chanson. J'aurais pu écrire un article, juste avec cette photo. Elle aurait été tellement représentative de la culture berbère que je l'aurais commentée sur dix pages. Cette occasion ratée est un de mes grands regrets.

*

Approchant de la capitale, le ciel redevient bleu. Les rayons de soleil ont le don de modifier le paysage et le moral. Nous passons du sable à la mer qui est toute proche. Le long de la côte, j'admire des villas blanches que les architectes mauritaniens ont conçues de manière à ce que ses occupants échappent aux rayons brûlants de l'astre de feu. Ce sont de bons architectes. À l'intérieur s'épanouissent des jardins où se faufile le son des vagues.

Je suis invité par des amis coopérants à l'ACDI dans une grande maison de riche, qu'ils ont louée sur le bord de la mer. J'entends l'Atlantique. Sur environ un kilomètre de largeur, il y a une bande de végétation. Là se trouve la zone des belles maisons et des plages. Au-delà de ce tapis de verdure, le désert reprend ses droits.

Des serviteurs mauritaniens nous servent le thé que je prends en compagnie de femmes mauritaniennes, plus occidentalisées que ne l'étaient mes hôtes de la tente berbère.

Je ne suis nullement gêné de me faire servir par les gens locaux. Dans ce pays pauvre, être serviteur est un emploi respectable. Pour plusieurs, cela vaut mieux que de traîner dans la rue et quémander. C'est une sorte de promotion sociale. Mes multiples voyages m'ont habitué à cette situation. Durant les trois mois que j'ai passés au Sénégal, c'était chose courante. Chaque coopérant blanc a un serviteur qu'il appelle un « boy ». Celui-ci est payé quelques dizaines de dollars par semaine, généralement nourri et hébergé, les prix variant d'une région à l'autre. Le sort de plusieurs en est grandement amélioré.

En me promenant dans les rues de Nouakchott, je vois bien qu'il y a peu de mendiants, mais je ne reste pas assez longtemps pour en comprendre les raisons.

Je passe la nuit dans le secteur des consulats et des ambassades. Les maisons blanches appartiennent aux riches, un autre Nouakchott bien différent du reste de la ville. Dans ce quartier huppé, les gars de l'ACDI qui gagnent plus de cinquante mille dollars par an, une fortune pour ce pays, louent une villa pour 500 $ par mois.

⁂

Décidément, ce pays en est un de contrastes. En peu de temps, je passe de la tempête de sable au ciel immaculé, de la tente berbère à la riche maison coloniale, du rudimentaire au confort local. Les extrêmes en quatre jours.

Malgré la fréquence des coups d'État fomentés par des militaires, je ne ressens pas d'agressivité. Les gens ont l'air calme et vaquent à leurs occupations quotidiennes.

Pourtant, beaucoup de Mauritaniens quittent leur patrie pour aller au Sénégal. Ils fuient les problèmes politiques ou vont suivre des études. Dans ce dernier cas, ils retournent, s'ils le désirent, dans leur pays…

Quatorze ans auparavant, sous l'égide de France-Afrique, dans le cadre des échanges France-Québec, j'ai fait un stage en journalisme en France avec plusieurs Africains. Sur la trentaine de participants, dix étaient Québécois et un Mauritanien de Nouakchott. Je le questionnais sur son pays, sur sa ville. Il me répondait poliment, mais il ne précisait pas sa pensée. Je n'avais donc pas une vision très claire de ce qui s'y passait. Ici, en 1983, tout ce qu'il m'avait dit résonnait à mes oreilles. Je n'ai jamais revu ce Mauritanien. Il était probablement journaliste à la solde du gouvernement et sans doute censuré comme ses collègues des autres médias.

À Nouakchott, il y a une université francophone et un grand hôpital, nul doute, un héritage de la France… La ville est digne d'une capitale africaine, mais son climat se révèle inconfortable. Dans quelques semaines, ce sera la saison des pluies, où tempête de sable et averse se mêlent parfois. On dit que seule la période de novembre à février est la plus agréable.

Voilà un territoire où je n'émigrerais pas. J'irais sans doute vivre au Maroc, à Alger, aussi et en Tunisie, sûrement… Non, décidément pas en Mauritanie.

Toutefois, je retournerais en Mauritanie pour la photographie. Le côté primitif, l'hostilité du climat, la rudesse de la vie de cette contrée m'attirent. Peut-être que les choses ont changé en trente ans. Je crois par contre que son caractère unique est protégé par son climat et sa position géographique, ce territoire n'étant pas de tout repos. Bref, ce n'est pas Pompano Beach.

Au large de ses côtes, la mer est poissonneuse, mais il y a peu de pêcheurs locaux. Ceux qui pratiquent la pêche le font sur de grandes pirogues colorées. Trop peu nombreux, ils se font subtiliser une partie de leurs richesses naturelles par des chalutiers qui viennent surtout de l'Espagne et du Portugal.

❋

En route vers le Sénégal, nous sommes embêtés par les douaniers mauritaniens. Il va nous falloir près de deux heures pour passer la frontière, même s'il n'y a qu'une voiture ou deux en avant de la nôtre. Arrivés à la guérite, ce sont des questions, des sous-questions, à nouveau des questions... Devant ces hommes armés de mitraillettes, inutile d'ajouter que nous coopérerons.

Non loin du poste, une tribu convoie un troupeau de dromadaires. Ces gens attendent leur tour pour passer le fleuve. Ils doivent parfois patienter plusieurs heures, car la priorité est donnée aux automobilistes. Il n'y a qu'une seule barge qui fait l'aller-retour. Le troupeau traversera seulement quand il n'y aura plus d'autos à passer.

Tout à coup, les chameliers entourent notre véhicule. Ils se mettent à chanter et ils claquent des mains. Ils sont sympathiques. Une espèce de fou, édenté, joue de la flûte. Il cherche à nous impressionner, mais surtout à obtenir le plus gros bakchich possible. Nous donnons de l'argent au chef de groupe, mais rien au douanier qui lui aussi voulait sa petite obole... Nous ne lui donnons rien par principe. Je pense que c'est pour ça qu'il nous a fait poireauter. Un des douaniers qui sentait la tonne cherche à nous intimider:

– «*Attendez, on ne peut pas vous prendre tout de suite.*»

– «*Restez en ligne.*»

– «*Il vous manque un papier là.*»

Ma patience est mise à rude épreuve. Après deux heures à jouer à Dupont et Dupond, ils nous laissent finalement passer sans que nous donnions de pourboire. Le temps a joué pour nous. Le douanier plie en se disant peut-être : « Ben, y comprennent rien... J'sais pas... Je ne peux pas passer la nuit ici. J'ai fini ma journée... Vaut mieux les laisser traverser. Tant pis pour le bakchich... Ce sera pour une autre fois. »

Et puis, il fallait encore qu'il fasse embarquer le troupeau de dromadaires. Il n'avait pas du tout l'intention de continuer à travailler au-delà de son horaire régulier.

Une fois sur le sol sénégalais, nous avons eu l'impression d'entrer en France ou au Canada tellement l'atmosphère aux douanes était décontractée.

❋

Heureusement, cela faisait trois mois que j'étais en Afrique et j'avais appris à vivre au rythme de la lenteur. À la cadence de : « On ne s'énerve pas. Rien ne presse. »

Les Africains me le disaient si souvent. Quand j'enseignais là-bas et que je secouais mes élèves :

– « *T'es en retard.* »

– « *Oui, et après. On continuera plus tard Monsieur Proulx.* »

Là , j'ai appris à vivre avec le pied sur le frein, à vivre plus lentement. Les Africains m'ont un peu domestiqué. J'ai vécu selon leurs us et coutumes, ça faisait partie du folklore.

Même si j'ai aimé ce style de vie, cette lenteur n'a pas laissé beaucoup d'empreintes sur moi. De retour à Montréal, j'ai repris la vie effrénée qui m'est familière. J'aurais aimé revivre cette indolence.

Quelques semaines après mon retour à Montréal, mon groupe d'étudiants de Dakar est venu en stage. J'enseignais à l'Université de Montréal où je les ai initiés au journalisme nord-américain. Toute cette expérience m'avait énormément plu. J'avais donc demandé à Babacar Sim, le directeur du programme, aujourd'hui décédé, si je pouvais retourner travailler avec un nouveau groupe au Sénégal. Il m'avait répondu :

– « *Gilles, on t'a aimé. Quand est-ce que tu reviens ?* »

– «*Dès que ce sera possible.*»

Parallèlement, je publiais dans *Le Devoir* une entrevue que j'avais réalisée avec l'ancien président du Sénégal, le poète, écrivain et homme de la francité, Léopold Sédar Senghor. Quelle expérience! Imaginez! J'avais eu la chance de rencontrer ce Prince des poètes dans son palais.

Dans mon article, qui avait fait la page frontispice du quotidien, je citais ce père de l'indépendance qui vantait le Québec pour avoir légiféré dans le but de protéger notre langue. Il m'avait même demandé une copie de la loi 101. J'en avais fait part à Robert Bourassa, qui en était très flatté.

Tout fier, je montre mon article à Babacar Sim pour m'apercevoir qu'en fait, c'est un adversaire politique du parti de Senghor. Furieux que j'encense l'ex-président, il a refusé que je retourne enseigner au Sénégal. Les étudiants le voulaient, mais il m'a désigné comme persona non grata. Je ne suis jamais retourné enseigner là-bas.

Je suis retourné au Sénégal comme touriste, en 2005, lorsque je suis revenu de l'île Sainte-Hélène. Dans les rues de Dakar, je remarque désormais les Mauritaniens qui s'y baladent régulièrement. Ils m'ont tous l'air de fuir le sable ou encore les coups d'État répétitifs de leur pays. Voilà bien l'intérêt de voyager. On observe des choses qui nous échapperaient autrement. Et on est bien forcé de relativiser nos perceptions.

Libye

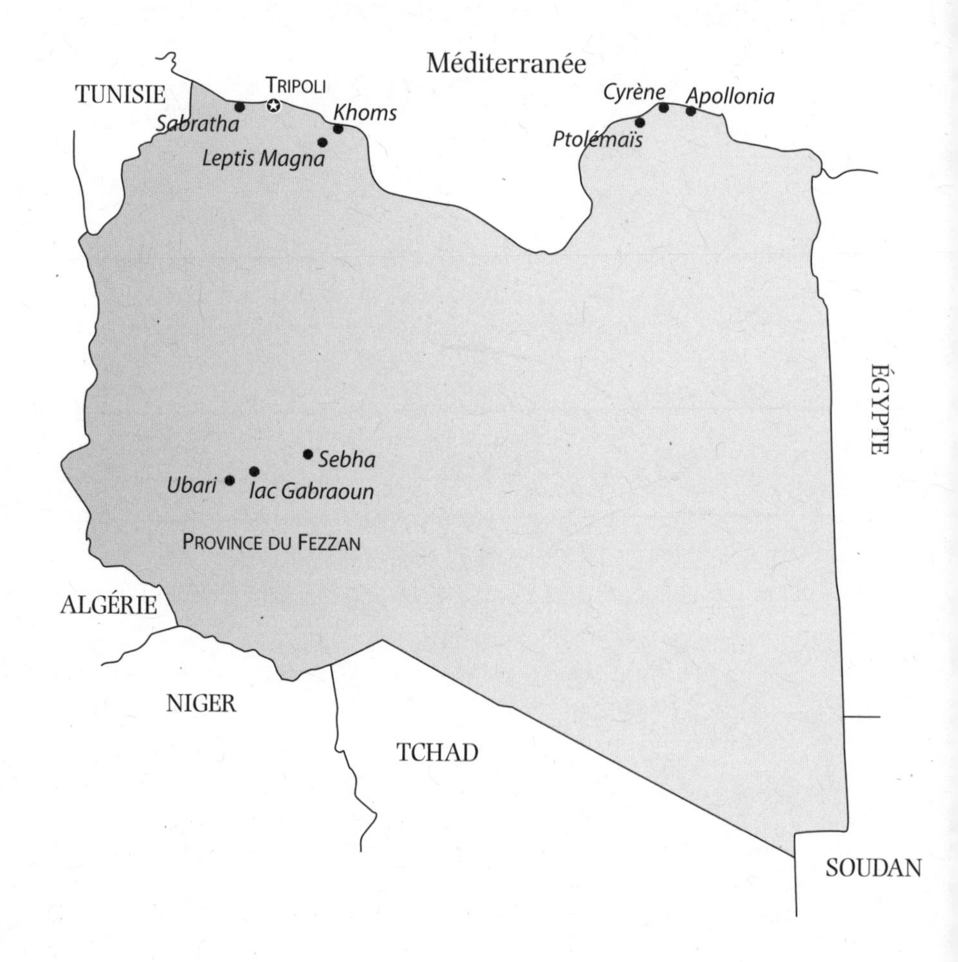

Méditerranée
TUNISIE
TRIPOLI
Sabratha
Khoms
Leptis Magna
Cyrène
Apollonia
Ptolémaïs
ÉGYPTE
Sebha
Ubari
lac Gabraoun
PROVINCE DU FEZZAN
ALGÉRIE
NIGER
TCHAD
SOUDAN

Libye

Les plus admirables ruines du monde

Jusqu'à très récemment, la Libye était un pays où on n'entrait pas facilement. Ses portes étaient plutôt verrouillées. La révolution du printemps 2011 n'arrange rien pour l'instant.

Les premiers touristes qui, petit à petit, ont envahi cette contrée sont les Italiens. Sûrement à cause du passé colonial et de l'influence qu'ils ont toujours eue sur ce territoire. On pouvait y rencontrer quelques Français, mais aucun ressortissant américain.

Durant de nombreuses années, la Libye a fait travailler mon imagination. Jusqu'en 2007, c'était l'unique endroit de cette partie de l'Afrique du Nord, la seule du Maghreb que je n'avais pas visitée. En même temps, j'étais fasciné par ce personnage qu'est Mouammar Kadhafi. En 1969, à vingt-sept ans, ce beau gars, « colonel » de son métier, a pris le pouvoir par un coup d'État. À l'époque, il voulait accomplir d'importants changements dans cette partie du monde. Il avait pour projet de réunifier tous les pays d'Afrique du Nord, créer un seul bloc, un peu comme l'Anglais Lawrence d'Arabie ou Gamal Abdel Nasser, le président égyptien. Il n'y réussira pas, comme la plupart de ceux qui ont imaginé cette réunion des peuples et des tribus maghrébines.

Bien que sa dictature soit très dure et que son attachement aux traditions berbères soit remarquable, le fait qu'il désire moderniser son pays et profiter du pétrole pour apporter un bien-être à sa population me fascine. Du Québec, il nous semble, mais il est difficile d'en être sûr, qu'il a voulu profiter des pétrodollars pour apporter une modernité dans les mentalités, pour donner l'instruction à son peuple.

Ce qui impressionne chez Kadhafi, c'est la « solidité » de sa position face à Israël ou à l'Occident en général.

En politique intérieure, il est aux prises avec des dissensions entre plusieurs dizaines de tribus, mais deux s'affrontent plus particulièrement. D'un côté, il y a la sienne, la tribu des Kadhafa qui occupe la région de Tripoli et l'ouest du pays jusqu'à la Tunisie. De l'autre, la tribu de Warfala, dans la région de Benghazi, qui occupe le territoire jusqu'à la frontière de l'Égypte. Kadhafi navigue au beau milieu de cette situation complexe. On le voit aujourd'hui, sa tribu lui reste sympathique, alors que l'autre veut l'assassiner.

À l'exemple de ce grand reporter et ami, Pierre Nadeau, j'ai toujours aimé me rendre dans des contrées qui font la une des journaux. Je suis aussi séduit par les coins de Terre les plus mystérieux. Pour cette raison la Libye m'attire. Elle semble avoir un potentiel touristique indéniable. Cependant, la visiter ne sera pas aussi facile que je me l'étais imaginé.

J'ai dû être tenace pour y parvenir. Il a fallu me rendre à quatre reprises à la délégation libyenne à Montréal. Chaque fois, je me suis buté à une bureaucratie susceptible de décourager n'importe quel voyageur: « Il vous manque un autre document. Ce ne sont pas les bons papiers. Revenez jeudi prochain. »

Quand je revenais, c'était le même scénario.

Je ne me suis jamais laissé abattre par l'idée qu'on ne me permettrait pas d'entrer en territoire libyen. Je me disais : « Ils doivent vérifier qui je suis. Je suis un reporter connu, ils doivent se demander ce que je vais faire dans leur pays. Ils doivent évaluer si je risque de nuire à leur réputation. » D'un autre côté, ils avaient les moyens techniques de confirmer que je suis quelqu'un qui voyage beaucoup. Ils pouvaient donc penser que je serais à même de leur être utile pour développer le tourisme. J'étais ambivalent.

Comme métier, j'avais indiqué sur ma demande que j'étais journaliste-photographe et que je travaillerais chez eux pour faire de la photographie touristique. Au contraire, cela a créé de la suspicion qui a amené une lenteur et plus de paperasse dans la délivrance du visa.

Finalement, avant de partir, j'ai obtenu quatre pages de visas collés dans mon passeport. Une fois à Tripoli, le douanier, qui me regarde nonchalamment, prend le temps de recopier chacun des textes, écrits en arabe. L'opération s'est avérée longue et fastidieuse. Il a fini par autoriser mon passage d'un coup de tampon.

Ces lointaines capitales turbulentes m'ont attiré dès le jeune âge. Cette piqûre du voyage, je l'ai attrapée en 1962 quand, ignorant que j'étais, comme simple disque-jockey, je lisais des bulletins de nouvelles. Je prononçais des noms comme Jakarta, Saïgon, Belfast, La Havane, Moscou, toutes des capitales qui étaient au centre de l'actualité bouillante. Cela alimentait mon imagination. Je voulais découvrir ce qui se cachait derrière les noms des États et des villes que je répétais en ondes bulletin de nouvelles après bulletin de nouvelles.

Dès 1969, Tripoli et la Libye, qui faisaient alors les grands titres, m'attirent. En 1987, quand Ronald Reagan autorise les bombardements américains sur la capitale, tout ce que j'en sais me revient en mémoire. Toutefois, le pays est fermé et ce n'est qu'en 2007 qu'enfin il s'ouvre un petit peu. Voilà que je peux enfin y mettre les pieds. Je veux y aller avant que le tourisme de masse ne vienne changer l'authenticité de ce coin du Maghreb.

Dès notre arrivée, mon ami Normand Guérette et moi sommes pris en charge par un guide. Il nous demande ce que nous souhaitons visiter. Nous avons la possibilité d'établir notre propre itinéraire. Un voyage à la carte quoi! Nous choisissons les sites archéologiques qui abritent les antiquités gréco-romaines, car nous avons entendu dire que les Libyens possèdent les plus belles ruines au monde. Nous désirons aussi voir le désert et les villes : Benghazi, Tripoli.

Durant quinze jours, le même guide nous accompagne constamment. Il est cultivé ! Il nous donne beaucoup d'information sur les empereurs romains, sur l'histoire, l'économique, la géographie, l'agriculture du pays. Cet homme attise sans cesse notre curiosité.

Quarante ans après la prise du pouvoir par Kadhafi, je rentre en Libye. Je suis un des derniers témoins de la Libye de ce dictateur, avant qu'il ne soit engagé dans une guerre civile à laquelle l'OTAN participe. Pendant longtemps, la Grande Jamahiriya arabe libyenne populaire socialiste a été au banc des accusés de la communauté internationale en raison de ses liens un peu trop étroits avec les terroristes du monde. Récemment, le pays a cherché à tourner la page. Pour le guide, la situation est claire :

– « *Les autorités croient pouvoir accueillir vingt millions de visiteurs par année quand elles auront fini de réaménager l'aéroport de Tripoli. Sans compter que les solliciteurs de contrats étrangers sont déjà à nos portes.* »

En 2007, j'ai l'impression qu'on a accueilli bien en deçà d'un million de visiteurs. Par contre, les grands projets foisonnent et je constate que les solliciteurs de contrats étrangers sont nombreux sur place.

– « *Eh ! Proulx, qu'est-ce que tu fais ici ?* »

Un homme d'affaires québécois qui me reconnaît m'interpelle. Nous discutons. Il travaille pour des investisseurs italiens. Il m'apprend que la renommée firme d'ingénierie québécoise SNC-Lavalin est là pour creuser le sol et en faire sortir de l'eau. Depuis de nombreuses années, Kadhafi a entrepris de fertiliser le désert.

Dans les faits, les autorités locales comptent sur les ingénieurs étrangers pour faire jaillir du sous-sol, non pas de l'or noir, ça sort déjà, mais de l'or bleu, de l'eau. Ce pays sablonneux, au climat brûlant, a soif. L'eau y vaut bien plus que le pétrole. Un litre d'essence, il n'y a pas encore si longtemps, coûtait à peine 20 ¢. Aujourd'hui, à cause de la guerre civile, il coûte 1,20 $.

Les Français et les Espagnols, principalement, se partagent la cagnotte sur ce territoire qui a beaucoup de pétrodollars à offrir. Les Italiens y reviendront progressivement, mais ils n'ont pas été les bienvenus durant de nombreuses années. Et pour cause ! Partiellement annexé par Mussolini en 1911, le pays a été occupé militairement dans son ensemble en 1932. Le Duce rêvait alors de recréer un grand empire romain. La Libye accède à l'indépendance en 1951, mais Kadhafi met les Italiens dehors à coups de botte en 1969. Un peu comme les Français en Algérie.

L'homme d'affaires avec qui je parle me fait remarquer, et c'est vrai, que le Canada reste sur la touche. Selon mon interlocuteur, il faut blâmer Jean Chrétien pour cette situation, puisqu'il a refusé de recevoir un des fils du président Kadhafi. Le jeune homme avait l'intention d'exposer ses photographies au Canada. Jean Chrétien s'était alors drapé dans sa charte des droits et libertés, sa charte des droits galvaudés, qui est la plupart du temps une charte des abus…

– «*Monsieur Chrétien a commis un impair qui nous a coûté cher jusqu'à aujourd'hui*», de me dire cet homme d'affaires.

Durant plusieurs années, Kadhafi refusera d'accorder des contrats aux entreprises canadiennes, tout simplement parce que Jean Chrétien n'a pas voulu recevoir son fils.

La situation a toujours été complexe, difficile à analyser, sur cette terre brûlante. Après le début du Printemps arabe en 2011, qui a vu le départ des dictateurs de la Tunisie et de l'Égypte, comme j'avais visité la Libye, plusieurs animateurs de la radio et de la télévision m'ont demandé mon avis sur ce pays.

– «*Vous avez vu ce qui arrive en Égypte, vous avez vu ce qui arrive en Tunisie, vous êtes allé en Libye. Croyez-vous que Kadhafi va subir le même sort que les autres dictateurs?*»

– «*Je doute beaucoup qu'il soit renversé puisqu'il a apporté beaucoup de progrès à ses gens avec ses pétrodollars.*»

Bien sûr, Kadhafi, sa famille et ses clans ont passablement accaparé les revenus du pétrole, mais en même temps ils ont investi des milliards dans l'instruction. Son peuple est le plus instruit du Maghreb. Les universités sont bondées, de femmes notamment. Il a fertilisé une partie du désert. Globalement, c'est une société plus développée que ses voisines. Par exemple, il n'y a aucun mendiant, aucun clochard dans les rues. Tout ça me laissait croire que ce chef charismatique était à l'abri de la contestation.

La grande question maintenant est de savoir si Al-Qaïda est derrière tout ça. Les insurgés sont-ils téléguidés par les ayatollahs de Téhéran? Difficile d'y voir clair.

J'avais peut-être sous-estimé le fait que les pétrodollars ont mené au matérialisme. Le plus bel exemple est illustré par les caravanes qui traversent le désert. Aujourd'hui, Touaregs et Berbères ont remplacé leurs ancestraux dromadaires par des 4x4.

Je parle de matérialisme et je pourrais aussi parler de la fierté. J'ai vécu une expérience assez particulière durant ce séjour. J'arrive à mon hôtel, un ancien établissement américain nationalisé. Je téléphone au comptoir pour demander :

– « *Pourriez-vous m'envoyer votre service de cireur de chaussures ?* »

Le gars, car il n'y a pas de femmes, seulement des hommes, me répond :

– « *Très bien. À quelle chambre êtes-vous ?* »

– « *Au 603.* »

Au bout de quelques minutes, on cogne à la porte. Un homme se présente et je lui tends mes chaussures. Il ne les prend pas, mais, à la place, il me donne un liquide noir avec une éponge.

– « *Voilà, le nécessaire pour cirer vos chaussures !* »

Je lui dis :

– « *Vous n'avez pas le service ici ?* »

Il me répond dans un français impeccable :

– « *Monsieur, ici l'homme ne s'abaisse pas ou ne s'agenouille pas devant un autre homme. Chez nous tous les hommes sont égaux.* »

On venait de me faire remarquer avec élégance qu'il n'y a pas d'hommes subalternes. Quelle leçon !

❋

En route vers le centre-ville de la capitale, je passe devant la caserne militaire où le colonel Kadhafi a ses quartiers. Il vit dans une spacieuse tente berbère plantée dans la cour de l'établissement. Il passe une bonne partie de ses journées à disserter et à écrire entouré de ses splendides amazones, des femmes qui font partie de sa garde rapprochée. Il en a cinq cents autour de lui. Elles portent des mitraillettes AK-47. Rien à voir avec les sacs Louis Vuitton!

Quand j'y suis allé, je n'ai vu que quelques femmes, puisque le colonel était malheureusement en voyage à Paris. Aux abords de son bivouac, on nous a montré les maisons qui furent pilonnées par l'aviation américaine en 1987, tuant ainsi un membre de sa famille. Les traces laissées par ce bombardement sont là, comme un rappel!

Nous continuons à rentrer dans la ville, toujours en direction de mon hôtel. Je vois l'arc de triomphe de Marc-Aurèle... et des centaines d'antennes de télévision. Une forêt d'antennes. Je n'en ai jamais vu autant. Il y en a partout sur les toits des appartements, sur les balcons. Je dis à mon guide, Abdallah:

– «*Ma foi, votre télévision est si ennuyante que vous devez capter des postes d'Europe.*»

Il réplique:

– «*Mais pas du tout. C'est parce que nous sommes ouverts sur l'extérieur. Nous captons la France, l'Italie avec qui nous avons de bons rapports. Malte est notre meilleur client en pétrole.*»

Cela doit être vrai! S'il y avait une censure, il n'y aurait pas tant d'antennes. Cette réponse m'apparaît logique.

Tout le long du parcours vers le centre-ville, le visage du Guide suprême est présent sur nombre de panneaux. Les yeux sont toujours couverts par de larges lunettes fumées et le regard pointe vers le haut. Regarde-t-il vers l'avenir incertain de son régime?

Dans la ville, il y a une absence de taille: les femmes. Elles sont à peu près invisibles. Même les emplois traditionnellement occupés par celles-ci en Occident dans les restaurants, les hôtels, les banques sont le fait des hommes. Pourtant le Frère guide se vante d'avoir des facultés universitaires bondées de femmes. C'est vrai. Elles étudient en médecine, en droit... Par la suite, il semble qu'elles n'occupent aucun emploi. Des hommes, beaucoup d'hommes, au point où cela en devient irritant.

Les femmes, nous les verrons sur les trottoirs du centre-ville, en train de faire des emplettes dans d'assez belles boutiques. Tout étonnées de voir des étrangers, elles nous salueront de leur plus beau sourire. Quelle différence par rapport à Ghardaïa en Algérie.

S'il y a une pléthore de destinations de voyage où l'on peut assouvir tous ses désirs ou presque sans que personne ne s'en offusque, la Libye n'est toutefois pas du nombre. Le pays vit au régime sec. Aucun alcool. Les viandes impures sont également prohibées et le mouton est l'aliment de choix. Même les hamburgers contiennent de la viande de mouton. C'est bon une journée ou deux, mais à la longue…

Un pays sans alcool et sans femme. On peut se demander si cela n'incitera pas les étrangers à aller voir ailleurs ?!

Deux autres éléments m'ont marqué au fil de ce séjour. Le premier, c'est la vitesse folle à laquelle les automobilistes circulent dans les rues. Les accidents de la route font plus de deux mille victimes par année, sur six à sept millions d'habitants ! J'ai une peur bleue chaque fois que je dois traverser une rue. Mais, il faut croire qu'on s'habitue. Plusieurs fois j'ai vu les habitants de l'endroit traverser une artère achalandée, le nez dans le journal du matin. De la folie pure. En Égypte, c'est pareil. Ça doit être une philosophie où le piéton se dit : « Il va arrêter. »

Voilà un contraste remarquable avec ses voisins africains où la lenteur rythme l'activité humaine. En fait, ici, les gens ne se soucient même pas des bagnoles, qu'elles soient vieilles ou récentes, propres ou sales, rutilantes ou bosselées. Elles filent à vive allure tout autour des piétons sans que ceux-ci s'en inquiètent.

Le deuxième élément qui attire mon attention : les tonnes d'immondices qui jonchent le bord des routes, et même les sites historiques. Voilà bien la preuve que tout autoritaire que soit le régime libyen, il ne parvient pas à serrer la vis à ceux qui n'ont que faire de cette nature si précieuse en jetant leurs déchets, n'importe où. Je trouve là une ressemblance avec les comportements de certains habitants de l'Amérique latine. Je ne m'attendais pas à cela, étant donné que le régime mise sur l'éducation, qu'il a une main de fer, que c'est une dictature. Je ne comprends pas comment il se fait que Kadhafi, si soucieux du bien-être de son peuple, ne se soit pas penché sur cette question. Je suis sûr qu'avec son autorité, il aurait pu dire : « Quiconque jette des déchets sera puni ! »

De pauvres gens auraient pu ramasser les plastiques et en tirer un peu d'argent. Comment ce dictateur éclairé n'a-t-il pas pensé que plusieurs de ses citoyens pourraient récupérer bouteilles ou plastique afin de s'enrichir ? Ce laisser-aller m'a plutôt déplu. Je n'en reviens pas !

❈

On ne se rend pas en Libye pour visiter sa capitale. À part ses quelques mosquées et la place Ben-Bella, en hommage au héros algérien dont ce fut la terre d'accueil à l'époque où il livrait la guerre aux Français, Tripoli compte peu d'attraits touristiques.

Par contre, en m'éloignant de la métropole, je découvre les empreintes laissées par les nombreux envahisseurs qui ont tour à tour dominé ce territoire. Les vestiges qui m'ont le plus impressionné sont ceux de la ville antique romaine de Leptis Magna, située près de Khoms, ou Al-Kums. Cette cité est la beauté des beautés. Vers l'an 500 de notre ère, elle fut surnommée la Rome de l'Afrique.

En 365, un intense tremblement de terre aurait ébranlé toutes les villes du bassin méditerranéen. Leptis Magna n'y aurait pas échappé. Le séisme l'aurait fortement ébranlée, mais avec moins d'intensité qu'ailleurs. Bien des bâtisses ont encore un toit, contrairement à d'autres sites où il ne subsiste que quelques colonnes et murs en ruines. C'est original, magnifique et immense.

Depuis 1982, ce lieu est sur la liste du patrimoine mondial de l'UNESCO. Si les touristes n'y sont pas légion, les archéologues quant à eux y sont fort nombreux. Lors de mon passage, plusieurs d'entre eux, dont quelques Français avec qui je discute, grattaient le sol et les pierres pour les faire parler.

L'empereur romain Septime Sévère fit construire Leptis Magna. À la fin du règne de ce souverain qui fonda la dynastie des Sévères, la ville fut graduellement abandonnée et les sables l'ensevelirent. À partir du XVIIe

siècle, la cité fut graduellement nettoyée, mais ce sont les Italiens au XXe siècle qui la dégagèrent complètement pour l'offrir au regard des citoyens. Le visiteur qui connaît l'histoire romaine peut facilement s'imaginer à quoi ressemblait la vie à cette époque. Le site présente de très nombreux vestiges, forum, marché, théâtre, thermes, mais, pour moi, un des plus impressionnants demeure l'amphithéâtre, presque intact, qui comportait quinze mille sièges au moment de sa construction. Il est facile de visualiser les combats d'animaux sauvages qui s'y tenaient. À mon avis, Leptis Magna donne une leçon d'humilité à nos ingénieurs modernes, incapables de construire des structures qui franchiront le temps et demeureront intactes. Le pont Champlain est un exemple de cette incapacité.

Un peu plus tard, nous admirons Sabratha, une autre ancienne cité romaine. Son théâtre byzantin, absolument colossal, le plus grand de l'Afrique, s'offre dans toute sa magnificence. Voilà un de mes coups de cœur dans cette province tripolitaine. Benito Mussolini lui-même, désireux de recréer l'empire romain et émerveillé par la beauté des lieux, avait ordonné sa restauration en 1935. Le Duce ignorait encore, à l'époque, que son règne commençait à décliner, tout comme l'empire romano-byzantin dont Sabratha est un des importants symboles. C'est de là que les Romains partirent pour atteindre le désert et furent confrontés aux « Berbères ».

Sous leur domination, le désert devait être plus luxuriant, parce qu'il y a mille ans, il abritait des lions. Aussi fertile que la Palestine ou le Liban, cette région fournissait aux envahisseurs blé, miel ou bois. À cette époque, Rome avec un million d'habitants commençait à connaître des famines. Pour cette raison, les patriciens décidèrent d'envahir les côtes libyennes afin d'y imposer leur emprise.

Après une matinée riche en histoire, Normand Guérette et moi quittons le fameux théâtre de Sabratha. Nous laissons derrière nous la zone verdoyante des lieux et empruntons une voie sablonneuse qui traverse un espace désertique. Le sable alourdit nos chaussures et le soleil à son zénith assèche nos gorges.

– « *Vite, trouvons à boire* », lui dis-je.

Tout à coup, en atteignant une petite oasis, je m'exclame :

– « *Est-ce que je rêve ?* »

J'entends une chanson française. Ici, en plein désert ! C'est tout à fait inusité, à moins que ce ne soit une hallucination auditive. Nous approchons d'un café. Plus nous tendons l'oreille, plus nous identifions la voix de Céline Dion qui interprète *Les derniers seront les premiers* avec Jean-Jacques Goldman. Une fois de plus, en parcourant le vaste monde, je peux mesurer l'ampleur de la réussite de cette femme. Je l'aurai entendu, aux quatre coins de la planète, sur un bateau russe dans l'Antarctique, à Katmandou au fin fond d'une ruelle depuis la boutique d'un marchand de disques. Quel phénomène ! Aucune francophone au monde n'a atteint ces sommets.

Toujours sur la côte, plus à l'est, en direction de l'Égypte, nous arrêtons aux ruines de Cyrène, l'ancienne ville grecque. Un de ses citoyens célèbres fut Simon de Cyrène, l'homme qui aida le Christ à porter sa croix. Nous voici face au plus important complexe de ruines au monde, inscrit depuis 1982 sur la liste de l'UNESCO. Devant moi se dévoile une des plus grandes cités antiques de l'Afrique, certainement une des plus belles. L'endroit se situe dans un environnement superbe. Le temple de Zeus est une copie, en plus imposant, du Parthénon.

À quelques kilomètres de là, sur le bord de la mer s'élèvent les ruines du port d'Apollonia. Cet aménagement portuaire constituait le trait d'union entre la très importante ville de Cyrène et le monde méditerranéen.

À Cyrène, mon caméraman et ami Normand Guérette trouve original de filmer un cheval qui broute devant ces impressionnants vestiges grecs. On doit l'admettre, des chevaux qui broutent au milieu du Parthénon, cela peut surprendre. Ces pauvres bêtes, toutes maigrichonnes, mangent l'herbe là où elle se trouve. J'approche ce bon cheval, je le caresse et lui dis :

– « *Beau cheval.* »

Je lui donne ensuite un bisou et je le photographie dans ce décor fabuleux. Puis je dis à Normand :

– « *Filme les chevaux pour une future émission.* »

Je me retourne et me mets à discuter avec le guide. Soudainement j'entends un grand « *Pok* » suivi d'un « *Ah ! Tab...* ». Mon caméraman vient de recevoir un bon coup de sabot dans le cul! Apparemment, ce n'est pas seulement aux gens qu'il faut demander la permission de filmer quand on est dans le Maghreb! Par chance, mon ami n'a pas été blessé et sa caméra n'est pas brisée. Il aurait dû savoir qu'on ne se met jamais à l'arrière d'un cheval, à moins de s'appeler «Charrette», mais pas Guérette!

En poursuivant notre circuit, nous arrivons à la cité portuaire hellénique de Ptolémaïs. Je ne peux faire autrement que de penser à Ptolémée Iᵉʳ, général d'Alexandre le Grand, le fameux conquérant grec qui, à sa mort à Babylone à l'âge de trente-trois ans, a donné en héritage à ses plus grands collaborateurs des territoires d'influence dont cette partie de la Libye. Quand on pense à la dynastie des Ptolémée, il faut se souvenir que la dernière dans la lignée a été Cléopâtre, qui mourut à Alexandrie.

Une des caractéristiques de ces ruines est qu'elles sont protégées du développement urbain. Contrairement à certains endroits comme en Égypte, où la ville touche maintenant les pyramides, en Libye les constructions sont loin des zones archéologiques, ce qui permet de mieux se replonger dans le passé.

Avant que je décide d'aller chez Kadhafi, je ne savais pas que son pays était si riche en culture gréco-romaine.

Sur la route qui mène de Benghazi vers l'Égypte, nous roulons entre la mer et une bande de verdure où s'étalent notamment des vergers. Quant au royaume du sable, il se trouve à trois ou quatre kilomètres plus loin. Ce tapis vert, cette verdure à perte de vue qui défile sous nos yeux, existe grâce à l'effort de fertilisation entrepris par le gouvernement.

Au bout d'une heure, nous voici dans une ville aux maisons abandonnées, où les autorités ont entrepris une restauration générale des bâtisses dont l'architecture date du début du XXᵉ siècle. Cela laisse une drôle d'impression que de pénétrer dans cette cité fantôme, qui a déjà été un grand quartier de la communauté italienne à une autre époque.

Depuis quelques années, l'amitié touristique et commerciale s'améliore entre les Italiens et les Libyens. Un peu comme pour l'Algérie et la France, le temps fait son œuvre!

De nombreux Libyens veulent aller vivre en Italie. À Malte, une des étapes avant d'atteindre l'Italie et la Sicile, plusieurs d'entre eux attendent longtemps les conditions favorables pour y émigrer. Les Maltais les accueillent avec respect parce que leur pétrole est libyen.

Libye

La fin des caravanes millénaires

Après avoir vu ces monuments anciens, je décide de prendre l'avion en direction de Sebha, à 660 kilomètres au sud de Tripoli, une des plus grandes oasis de la région. Elle fut libérée durant la Deuxième Guerre mondiale par le général Leclerc et les forces de la France libre du général de Gaulle. Je suis surpris d'y trouver une telle influence française et une telle amitié envers la France. Reconnaissants du fait que ce général français ait chassé les Italiens et les Allemands à l'époque, ils donnèrent au fort qui s'y trouvait le nom de Fort Leclerc. Leur francophilie fait vraiment chaud au cœur ! D'ailleurs, je suis étonné de constater dans ce pays, le nombre de Maghrébins qui utilisent le français. Cela se comprend, car plusieurs viennent de la Tunisie pour occuper les postes offerts ici. Les Algériens sont aussi très présents dans l'industrie du pétrole et l'irrigation du désert.

Notre guide s'appelle Abdallah Ben Amer, un jeune érudit profondément amoureux de son pays. Il m'initie aux mystères du désert. En véhicule tout terrain, nous traversons d'abord l'aride province du Fezzan. Ses paysages nous renversent, mais, hélas, ils sont parsemés d'objets en plastique et caoutchouc.

Sur les crêtes de certains massifs, j'observe les peintures rupestres qui rappellent que ces lieux ont déjà été verts et habités par une faune des plus variées, il y a de ça douze mille ans !

Au fil de notre route, les montagnes de grès deviennent roses, puis rouges. Notre véhicule se met à grimper, puis à redescendre sur des bancs de sable qui changent de teintes au fur et à mesure que s'égrènent les heures. Quelle immensité stupéfiante ! Après un long parcours, nous aboutissons devant un paysage plus doux pour les yeux, parsemé de dunes aux fines courbes.

C'est cela, l'infini ! Le guide me confie que c'est probablement là, après un atterrissage forcé et deux jours de solitude, qu'Antoine de Saint-Exépury a été secouru par des hommes bleus. La prose de l'aviateur prend ici tout son sens. Confronté aux extrêmes, c'est-à-dire à la fournaise le jour et au froid glacial la nuit, sous un ciel ponctué de millions d'étoiles, il sera secouru par des Bédouins à la réputation douteuse qui passent pour des malfrats ou de bons samaritains.

En écrivant ces lignes, je prends conscience que j'ai voyagé dans le Sahara sur une distance couvrant la moitié du continent africain d'ouest en est, l'équivalent du chemin que parcourent les caravaniers. Eux, mettent jusqu'à deux mois, à dos de dromadaire, pour passer de la Mauritanie à la Libye. En y pensant bien, d'un voyage à l'autre, j'aurai passé près de deux mois de ma vie dans le désert.

Après avoir connu ceux de la Mauritanie, du Maroc, de la Tunisie et encore davantage le Sahara algérien, je suis surpris, et un peu déçu. Ici en Libye, je découvre que les pétrodollars ont fait disparaître, pour le moins rendu rarissimes, les caravanes de dromadaires. Je vois au loin des douzaines de 4x4 qui filent à vive allure. Ils s'en vont je ne sais trop où ! Ce sont ces mêmes hommes bleus qui, hier encore, ne connaissaient rien aux véhicules automobiles et au cellulaire. Voilà un autre phénomène d'acculturation ! Le progrès et l'argent auront altéré leur mode de vie millénaire. Nous qui nous faisons une idée, une image égoïste de leur vie que nous voyons comme « idyllique », nous sommes déçus. Bien sûr, eux aussi, ils ont droit au progrès. Voilà pourquoi je conseille si souvent aux voyageurs qui recherchent l'authenticité de se dépêcher de visiter ces endroits puisque la vie traditionnelle de ces peuples disparaît rapidement.

Je ne pense pas que ces gens vont résister longtemps au matérialisme galopant. Mais, peut-on les blâmer ? Comme nous, ils recherchent le confort matériel. C'est bien beau le dromadaire, prendriez-vous quarante-deux jours pour traverser ces étendues sableuses, alors qu'il est possible de le faire en vingt heures ? Comme nous, ces gens ne vivent plus comme avant. Peut-on leur reprocher ce que nous-mêmes nous faisons, c'est-à-dire nous éloigner de nos traditions ?

Par contre, je crains qu'on les transforme en attraction de cirque. Le danger qui les guette, c'est de constituer de petits villages typiques pour montrer aux touristes qui s'y arrêteront comment ces gens-là vivaient il y a 500 ans. On y présentera peut-être les tentes, les maisons, la cuisine, les moutons, les dromadaires, etc., dans un décor superficiel, inventé…

Pour moi, les vrais déserts sont ceux de l'Algérie et de la Mauritanie.

En poursuivant notre chemin sur le territoire de Fezzan, dans la région de l'Ubari, je découvre une chose surprenante. À nos pieds s'étendent quantité de lacs bleus, ce qu'on ne trouve pas ailleurs en zone désertique. Leurs eaux profondes, froides et salées ne contiennent aucun poisson. Sur les rives, les Touaregs qui viennent du Mali, du Niger et de l'Algérie parlent français. Ce sont des hommes sans frontières, je les appelle des Costanos, qui déambulent d'un pays à l'autre et sont souvent objet d'arrestations policières. On doit se demander si certaines autorités politiques, dont celles du Niger, ne souhaitent pas les rayer de la carte.

Ces gaillards, quelles que soient leurs origines, ont souvent été accusés de parcourir le désert pour kidnapper des filles et des enfants. Ils se livreraient au trafic humain. La police libyenne tente d'enrayer ce problème, mais avoue son impuissance : « Comment les attraper ? Ils connaissent si bien ces lieux. Ils se fient aux étoiles. Ils peuvent nous semer. Ils partent dans l'immensité et on ne les voit plus. Ils vont aller vendre les filles ou les enfants au Maroc, en Tunisie, en Mauritanie, loin d'ici. »

C'est aussi ce que soutient Mano Dayak, un des chefs de la rébellion Touareg des années 1990, dans son livre (écrit avec Louis Valentin), *Je suis né avec du sable dans les yeux*. Toutefois, si l'autorité militaire libyenne décide de décimer ces hommes bleus, ce sera une grande perte pour l'identité saharienne. Ils sont à part. Pour eux se plaindre est une manifestation de faiblesse. Lorsqu'un Touareg, un Berbère ou un Bédouin perd un être cher, ses règles de vie lui interdisent de rappeler son souvenir. Plus question de parler du disparu.

Comment faire cesser ce trafic d'enfants, tout en évitant que ce peuple disparaisse ? Une question difficile, n'est-ce pas ?

Toujours dans l'Ubari, nous passons ensuite dans un village fantôme collé sur le bord du lac Gabraoun. Abdallab me dit que les habitants de cette région, des Touaregs, ont été relogés parce que l'oasis ne parvenait plus à les nourrir. J'ai bien du mal à croire cette version. Je pense plutôt que l'attrait des pétrodollars et la présence massive de ces gens à la réputation douteuse auraient pu nuire à d'éventuels projets de développement touristique. Gabraoun deviendra probablement un village sportif réservé aux non-autochtones, aux riches Occidentaux, qui viendront s'amuser sur les bancs de sable à des hauteurs vertigineuses. Les loisirs avant tout.

Je ne suis pas vraiment un homme de loisir. Je fais un peu de sport, mais c'est tout. Je déplore qu'on défigure des régions ou des sites pour en faire des centres sportifs ou récréatifs… Les Clubs Med ne m'intéressent pas. Je recherche l'authenticité, le passé, l'histoire. Je suis un amoureux de la nature, d'une nature à l'état brut. De plus en plus, j'aime les animaux, surtout quand ils sont sauvages.

Pourquoi est-ce que je ferais du ski nautique à l'autre bout de monde quand je peux en faire sur le fleuve Saint-Laurent ? Je n'ai fait du ski alpin qu'une fois en Suisse pour goûter cette sensation dans les Alpes. Sinon, je préfère plutôt skier ici. Une de mes obsessions, celle qui me ramène constamment en voyage, c'est cette pensée : « Bientôt, dans trente ou quarante ans ce peuple, cette tribu ne sera peut-être plus là. »

Je ressens peut-être cette urgence parce que ma propre nation risque, elle aussi, de disparaître…

*

Dans ce Sahara, après quelques nuits à bivouaquer, je comprends pourquoi les gens méditatifs aiment tant ce genre de milieu. On y écoute le silence. Et, dans la foulée, on entend parler ces étendues désertiques, on les voit bouger. La nuit sous un ciel illuminé par des millions d'étoiles, on découvre que ces lieux sont agités par la présence de chacals et de renards attirés par les restes de nourriture laissés par des humains de passage. Le froid nocturne finit invariablement par vous transpercer, mais l'expérience d'une nuit au beau milieu d'un désert compense cent fois cet inconfort.

Durant neuf jours nous nous promenons dans cet océan blond. À bord de notre 4x4, je n'ai aucune idée des endroits où nous nous dirigeons. De temps à autre, nous croisons une petite caravane, moins longue que jadis. Le soir, nous plantons notre petite tente, nous parlons, nous mangeons et nous nous couchons.

Un soir, Abdallah me dit :

– « *Le désert va te parler cette nuit. Quand tu vas te lever pour aller pisser, tu vas voir l'agitation des animaux autour…* »

Je lui réponds :

– « *Mais tout est mort ici, il n'y a rien qui bouge.* »

– « *Tu vas voir…* »

En pleine nuit, je me lève. Le feu brûle encore. Je regarde le ciel. La voûte étoilée est incroyable. La lune rend le tout féerique. Tout près, je vois des yeux brillants m'observer. Il y en a trois paires. Ce sont de petits chacals. D'où viennent-ils ? Je l'ignore. Mon guide avait raison, c'est un lieu vivant bien plus que je ne le pensais.

Une des scènes les plus mémorables qu'il m'ait été donné de voir se déroule le lendemain. Nous campons tout près d'un lac aux eaux scintillantes, quand surgit une caravane menée par une dizaine d'hommes bleus accompagnés d'une trentaine de dromadaires. Au milieu de ces bêtes dures et robustes, j'en remarque une qui semble avoir de la difficulté à suivre. L'animal avance péniblement. Il titube, il a l'air affaibli. Mon guide attire alors mon attention et me prévient que nous allons assister à un événement unique. Après un court arrêt, les caravaniers poursuivent leur route. La bête malade semble de plus en plus mal en point. Personne, ni homme ni bête, ne l'assiste de quelque manière que ce soit. Puis, le dromadaire grimpe péniblement sur une dune et disparaît.

Plus tard, au moment où nous achevons notre repas, alors que la lumière commence à tomber, le guide m'invite à aller au sommet de la dune. Arrivé à la crête, je découvre la pauvre bête enfouie dans le sable. Elle creusa dans le sol. Une fois que le trou avait été assez grand pour l'accueillir, elle s'y était enfouie.

Durant une heure, nous observons le dromadaire, les yeux hagards, ensablé jusqu'au cou. Il agonise. La bête se savait condamnée. Elle s'est enterrée elle-même. Incroyable!

Puis Abdallab nous dit:

– «*Regardez au ciel.*»

Nous voyons arriver les vautours. Ils attendent l'issue finale pour se pointer. La scène à laquelle nous venons d'assister est typique des dromadaires. Lorsqu'ils sentent la mort venir et qu'ils ont encore assez de force pour le faire, ils s'enterrent eux-mêmes. Ainsi, l'animal retourne à la terre.

C'est le genre de scène que je n'oublierai jamais.

Le lendemain, après avoir replié nos tentes, nous allons constater le travail des charognards. La carcasse est déjà décharnée. Il ne reste pratiquement que les os. Au cours de la soirée précédente, les vautours avaient commencé à dépecer l'animal, suivis de près par les chacals qui avaient senti l'odeur de la chair.

Devant la vie impitoyable, dure, et en même temps, sa justice, je médite sur la phrase célèbre d'Antoine Laurent Lavoisier, célèbre chimiste: «Rien ne se perd, rien ne se crée, tout se transforme.»

Cette loi de la nature me sera confirmée par l'auteur Mano Dayak. Ce dromadaire avait dû rendre bien des services aux hommes avec qui il avait vécu en symbiose sûrement de nombreuses années. La bête l'a sauvé, l'a véhiculé, l'a empêché de crever de faim en le transportant. Elle devait avoir entre vingt-cinq et trente ans, ce qui est l'âge de la vieillesse chez ces animaux.

Je trouvais que ces hommes étaient impitoyables. Ils ne s'arrêtaient pas à la douleur d'un animal qui leur avait si longtemps rendu service. Personnellement, je me serais épris de mon dromadaire comme je le ferais d'un chien, d'un chat qui aurait vécu à mes côtés si longtemps. Me défaire d'un cheval qui m'aurait transporté durant des années et qui m'aurait accompagné dans mes aventures de survie, aurait engendré une douleur épouvantable. J'aurais vécu un deuil. Je pense souvent à mon chien Roméo que j'aime tant, qui m'apporte de la joie. Je pense toujours que dans dix ans (il a cinq ans) il ne sera plus là. Cela m'attriste.

Durant leur court arrêt, la veille, un des Touaregs de la caravane avait dit en tamachek à notre accompagnateur quelque chose qui semblait important. Je lui avais demandé de quoi il s'agissait et il m'avait répondu :

– « *Tu vas voir.* »

Abdallab avait refusé de me traduire ces propos. Une fois la mort passée, le guide me confie que le caravanier lui avait annoncé qu'il abandonnait le dromadaire, celui-ci ne pouvant plus leur être utile. Ces hommes ne s'arrêtent pas pour pleurer. Ils tournent la page. Tous les peuples n'ont pas la même sensibilité. Pourtant, cet animal-là a vécu en symbiose avec lui. C'est dans ces gestes que je vois la dureté de ces gens.

Cette expérience m'a fait comprendre la réalité de cette parcelle de la Terre. Ici, la vie ne se déroule pas comme dans la jungle, comme dans un milieu urbain ou comme en Amérique du Nord. Ces distinctions contribuent à la diversité de notre planète. Au fil des ans, mes périples m'ont amené à une meilleure compréhension de notre monde. On ne saisit pas ce qui est loin de nous. Tous ces contacts avec l'immensité, le ciel, les animaux, la dureté, la beauté, la douceur me font maintenant raisonner différemment.

❊

Pendant longtemps, je me suis considéré comme un misanthrope. Ce que mes voyages m'ont révélé, c'est que je suis misanthrope vis-à-vis de ma société. Quand je me déplace, c'est différent. J'ai le goût d'échanger. Ici, au Québec et en Amérique du Nord, mon asociabilité est forte, car elle est alimentée par cette recherche de facilité médiocre qui se généralise et qui me saute aux yeux trop souvent. Ce constat me pousse de plus en plus à me mettre à l'écart.

Dans mon milieu médiatique, que je n'ai jamais vraiment fréquenté, je n'ai pas beaucoup d'amis, sauf quelques recherchistes. Je connais évidemment beaucoup de personnes, mais je constate trop souvent à mon goût leur vanité démesurée. Tel présentateur vedette de télévision ou tel journaliste m'irritent parce qu'ils sont acculturés. Je pense surtout que plusieurs représentants des médias manquent de recul historique.

À un célèbre présentateur de télévision, qui me disait un jour :

– « *Je hais les religions, notamment la catholique.* »

j'ai répondu :

– « *Pourquoi ? Parce que ça fait bien ? Tu tapes sur ce qui est par terre ; c'est facile. Tu ne sais pas ce que cette religion a fait de bien. Ici au Québec, elle t'a permis d'exister. Tu ne connais pas toute son histoire.* »

– « *Gilles, vous n'êtes pas conscient de ce que les religions ont fait : des massacres et des millions de morts.* »

– « *Ah, oui ! Mao Tsé-toung lui, n'a tué personne ? C'était un athée. Staline, qui a tué plus de vingt millions de personnes, n'avait pas de religion !* »

– « *Je n'y avais pas pensé...* »

Quel manque de vision historique ! Il est vrai que les religions sont des institutions humaines. Les hommes qui les gouvernent ont commis et commettent des erreurs. Pour comprendre l'histoire, il faut mettre les informations en perspective et se rappeler que Mao Tsé-toung a fait tuer entre quinze et trente millions de Chinois. L'inquisition aurait tué... 300 000 personnes !

À un autre journaliste pseudovedette qui me confiait la même chose, je répliquais :

– « *Tu es de gauche. Tu es pour la redistribution des richesses et tu ne sais même pas à quel point, Marguerite Bourgeois, une des femmes qui ont fondé Montréal, a été généreuse. Marguerite d'Youville, Mère Gamelin, tu ne sais pas ce qu'elles ont fait. L'Accueil Bonneau qui s'occupe de tes* robineux, *ceux que tu aimes bien, ce sont les religieuses qui en prennent soin.* »

La misanthropie qui m'habite a aussi été amplifiée par certains médias. Bien que j'aie eu une très belle carrière à la radio, loin de moi l'idée de m'en plaindre, je suis méprisé par « l'intelligentsia » médiatique. Un exemple : après mon retour de l'île Sainte-Hélène, en plein Atlantique Sud, à 1 930 km des côtes de l'Afrique de l'Ouest, où Napoléon aurait été emprisonné jusqu'à sa mort en 1821, endroit où très peu de Québécois ont mis les pieds, j'avais proposé à un grand magazine d'information de rédiger un article. J'appelle la rédactrice en chef. Cela ne l'intéresse pas. Je sens bien que je ne suis pas de la même chapelle : « *C'est la grande gueule de la radio, le démagogue* », doit-elle penser. Comme je connais son patron, je m'adresse à lui. Il me rappelle après quelques jours et il me dit :

– « *C'est réglé. Rappelle-la. On va publier ton article.* »

Je téléphone à nouveau à la rédactrice en chef qui accepte de publier mon article, mais je sens dans le ton qu'elle n'est pas très contente :

– « *La publication sera faite plus tard en saison* », m'informe-t-elle.

J'envoie mon texte et mes photos, on me paye... et on oublie de me publier ! Quelque temps plus tard, un journaliste me contacte, car il veut faire un reportage sur moi dans ce même grand magazine :

– « *Gilles Proulx, je t'écoute. Tu es un phénomène. J'aimerais passer une semaine avec toi.* »

Je lui réponds :

– « *Ils ne te publieront pas.* »

– « *Oui, j'ai eu la permission.* »

Il a passé une semaine avec moi et a interviewé plusieurs personnes autour de moi. Cela fait cinq ans, le reportage n'a jamais été publié. L'histoire se répétera dans un grand quotidien de la métropole.

Pourtant, j'ai toujours pensé que la base de la communication, c'est d'aller chercher partout ce qu'il y a de différent...

Misanthrope de ma propre société, donc.

⁂

Un autre élément que mes voyages m'ont révélé de moi-même, c'est ma capacité d'adaptation. J'aime le confort, mais je suis capable de dormir sous la tente, au froid, au chaud, en plein désert, dans des conditions difficiles sur le plan de la propreté. Je perdrais mon appartement, mon petit confort, tout ça, je suis sûr à 99 % que je m'adapterais. Je tombe en faillite, je n'ai plus un sou : je m'en irais à Verdun dans une petite chambre. Je m'arrangerais pour me trouver un petit coin tranquille. Le silence, c'est important. Je saurais vivre selon mes moyens.

Dans le désert, je suis avec des Arabes ou des Bédouins. Je m'adapte à eux, même si, communiquer entre nous n'est pas toujours simple. Il y a le guide qui parle français, les autres ne le parlent qu'occasionnellement. Parfois Abdallab fait la traduction, mais, malgré la barrière de la langue, je parviens à sympathiser. Nous finissons par nous comprendre. Nous nous donnons des tapes sur les épaules, ils me sourient. Je leur montre une photo que j'ai prise, ils rient.

Avec le temps, j'ai appris à être très intuitif et observateur... Je connais les humains. J'ai soixante et onze ans. J'en ai rencontré beaucoup et je les devine bien. J'ai du pif... neuf fois sur dix, je tombe dessus. Plusieurs fois, cela m'a nui. Souvent, après trois ou quatre minutes de conversation, je peux juger si la personne a un caractère, de la détermination. Je me trompe parfois, mais, en règle générale, j'arrive à la bonne conclusion. Où que je sois, j'ai cette capacité de vibrer aux autres.

Un jour, une journaliste qui m'interviewait m'a fait prendre conscience à quel point je pouvais être instinctif avec les gens. Au bout du monde, il arrive souvent que les mots soient d'une totale inutilité pour communiquer. Je réalise que j'ai un don pour entrer en contact avec les autres, peu importe leur milieu ou leur culture. Je ne sais pas si je dégage des ondes, mais j'ai l'impression d'avoir un sixième sens. J'arrive auprès d'un groupe, même des durs à cuire, je suis capable de parler avec eux. J'ai été élevé à Verdun. J'ai des fibres de « bum ». Entre quinze et dix-sept ans, j'étais chef de gang. Je faisais des mauvais coups. Ce que tout cela m'a appris, c'est que je peux jaser avec un vaurien et échanger quelques instants après avec un astrophysicien. J'aurais pu mal tourner, si je n'avais pas rencontré José Ledoux à *CKVL*. La radio a assouvi ma soif de connaissance. Cette compréhension et cette recherche de la communication avec des gens de toutes les classes de la société sont une force qui m'a servi dans les médias et dans mes tours du monde.

En ondes, j'étais un guerrier, mais, dans le fond, j'aime beaucoup les humains... dans leur essence profonde, surtout lorsqu'ils ne sont pas nombrilistes.

⁂

Après ce grand détour dans mes pensées et mes bilans personnels, je reviens à la Libye. Je me rends compte que la mort du dromadaire à laquelle j'ai assisté est très symbolique. Par rapport à ce que j'ai vécu en Tunisie, au Maroc, en Algérie et en Mauritanie surtout, mais je reste déçu par l'absence de caravane. Au départ, le guide m'avait dit :

– « *Vous risquez d'en voir, mais il y en a de moins en moins.* »

Nous en avons vu une par-ci par-là, c'est tout.

En roulant à travers le désert, j'ai l'impression que je viens d'être le témoin de la mort du dernier dromadaire de la dernière caravane... Cette bête deviendra peut-être une autre légende. Le dromadaire est en voie d'être remplacé par des 4x4, équipés de GPS et de cellulaires. Les caravaniers modernes, qui gardent des lambeaux de leur culture par leurs vêtements traditionnels bleu et blanc, portent désormais, la mitraillette à leur côté et leur cellulaire sous leur djellaba, mais conservent aussi leurs traditions religieuses. Toutefois, ils partagent peu leurs réflexions spirituelles. Une seule fois, avec mon guide j'ai parlé de religion :

– « *Jésus-Christ, qu'est-ce que tu en penses ?* »

Il me répond :

– « *C'est un grand prophète.* »

– « *Tu parles comme les Juifs. Les chrétiens disent que c'était le fils de Dieu.* »

– « *Oui, mais nous sommes tous les fils de Dieu.* »

– « *Tu as raison, nous sommes tous un morceau de Dieu, dans le fond.* »

Il avait un grand respect pour le prophète, mais ce n'était pas le fils de Dieu. Il conclut :

– « *Nous, on l'attend encore, ce Sauveur.* »

Comme les Juifs, mais pas plus que cela. Quand mon guide a besoin d'intimité avec son dieu, comme il sait que nous n'avons pas les mêmes croyances, il disparaît pour faire sa prière. Je trouve beau que ce jeune d'une trentaine d'années, très instruit, vivant dans un monde matérialiste, accorde autant d'importance à ses rituels. Moi, j'ai une forme de croyance. J'ai un grand respect pour l'Église, mais je ne la fréquente pas. De temps à autre, j'y vais, mais je m'incline devant la Foi, l'Au-delà, la Création. Je ne suis pas le genre de gars qui va aller à l'église faire une neuvaine comme on faisait il y a trente ans. Alors qu'eux, en quelque sorte, le font encore.

Leur ferveur me touche. Je pense avant tout que ce questionnement qu'on peut avoir sur l'au-delà est une évolution dans la compréhension de la vie. On peut être guidé par d'autres choses. Le « crois ou meurs », l'enfer ou le ciel, la punition ou la récompense prennent un autre sens quand on se frotte à la vie, au contact des autres. On en vient à développer un raisonnement personnel, une vision de la vie plus intime.

C'est un peu ce qui m'a amené à croire en moi. Je crois en mon bonheur, donc je crois en moi. Quand je me lève le matin, je fais une forme de prière en regardant ce qu'il y a autour de moi : « Ah, que c'est beau ! » Ou encore : « Merci, mon Dieu. Merci pour cette nature que je vois... »

Je suis ébahi devant les choses de la nature et je sais qu'à la fin de cette journée, il m'en restera une de moins pour l'admirer. Chaque jour, avec l'âge qui avance, cela m'interpelle...

Quant au voyage, ce n'est qu'une manière de me découvrir. C'est avant tout pour satisfaire cette grande curiosité qui m'anime. C'est pour assouvir mon amour de la photo, des paysages, des gens. C'est pour, au-delà de la lecture, comprendre une autre culture et m'en imprégner en me rendant sur place.

Avant de partir, je prépare beaucoup mes voyages. Toutefois, la destination choisie est souvent due au hasard. Je vois un magazine *GÉO* qui présente le Pakistan et l'Afghanistan, je veux aller les visiter. Un autre magazine me montre un endroit du Tibet, où je suis allé ; je retourne au Tibet ! Parfois, ce sont les magnifiques paysages que je vois dans un film. Comme dans *Sept ans au Tibet* tourné au Népal... la première fois que je l'ai vu, il fallait que je m'y rende. Les images, les mots m'allument et ces coups de cœur doivent se transformer en voyages.

Il arrive parfois qu'après avoir satisfait ma curiosité, comme pour la Libye, je n'y retourne pas. Mais qui sait ?

❋

J'ai cette chance. Je me ressource vite, je reprends vite mon énergie. Je veux tout le temps partir. Le temps d'amasser mon argent et je repars. Un autre voyage s'impose. Plutôt que d'accumuler des biens, « j'investis » dans des voyages. Je veux découvrir autrui, voir la terre que j'habite et, à la fin de ma vie, avoir la satisfaction d'avoir été un véritable pèlerin du globe.

J'ai fait tous les continents, plus de 102 pays, visité des milliers de sites. Quand je vois des documentaires avec Bianca, regarde les nouvelles, lis des magazines de voyages et que je peux dire : « Je suis allé là. J'ai visité cet endroit. J'ai dormi dans tel établissement », quelle satisfaction ! Quand je fais le bilan, je m'aperçois de la quantité phénoménale de connaissance que j'ai d'autrui et de la géographie étrangère. C'est important.

❋

Après le désert de Libye, nous nous rendons à Benghazi, la grande ville blanche, avec ses mosquées immaculées. Bizarre ! Ici il y a des gens qui parlent contre Kadhafi, alors qu'à Tripoli on le vénère… ou presque. Nous sentons qu'il y a là, une certaine prospérité. Mais, je ne retiens pas grand-chose de particulier de cet endroit. Une ville comme une autre. C'est à l'extérieur des milieux urbains qu'on trouve les endroits à découvrir.

Dans tous les hôtels de Libye, il y a une photo de Mouammar Kadhafi. En la pointant, à notre arrivée, je dis :

– « *Ah, votre chef est là !* »

L'hôtelier me répond sur un ton critique :

– « *On en a ras le bol.* He made his time. It's about time that he quit… »

Je suis un peu surpris, je ne comprends pas. Moi qui pensais que cet homme, qui a fait beaucoup plus que bien d'autres dirigeants arabes, était aimé ! Après tout, ce pays compte près de sept millions de personnes. Il est impossible qu'elles soient toutes unanimes.

Quelques heures plus tard, on nous alloue un guide local. Je lui demande si on peut parler des politiques de Kadhafi.

– « *Oh ! Kadhafi, vous savez...* »

J'ai compris quelques années plus tard, la profondeur de cette contestation, quand sont survenus les combats du printemps arabe en 2011. Benghazi en était effectivement le noyau. L'histoire m'avait confidentiellement parlé lors de ce séjour. Les tribus de l'est de la Libye sont depuis très longtemps en opposition avec celles de l'ouest et ces tensions remontent à loin dans leur histoire. L'une est plus sympathique à Kadhafi, l'autre beaucoup moins... Déjà, avant les événements du printemps 2011, la colère grondait en sourdine.

Après Benghazi, retour à Tripoli, où nous achevons notre périple. La veille du départ, je m'arrête dans une boutique. Je veux m'acheter un souvenir local. Il n'y a pas grand-chose, sauf de nombreux magasins d'appareils photo. Grand amateur, je suis muni d'un appareil argentique, le F3 de Nikon, l'appareil mythique des vieux journalistes. Je veux m'en défaire, mais j'ai beaucoup de difficulté parce que je le chéris comme un trophée. Avec lui, j'en ai fait des kilomètres. Voilà probablement mon plus vieux compagnon de voyage ! Mais, il faut que je passe au numérique ! Je vois dans une vitrine à Tripoli des appareils photo correspondant à mes besoins. Je parle français avec le gars.

– « *Il y en a un ici, le D40 de Nikon, petit, très joli et facile à transporter.* »

– « *Combien ?* »

– « *680 $ américains. Vous savez, ici, il n'y a pas de taxes.* »

C'est intéressant.

– « *Voulez-vous prendre mon appareil photo en échange ?* »

– « *Non !* »

Je l'achète quand même. Tout fier de mon acquisition, j'arrive à Montréal et par simple curiosité, je téléphone chez L. L. Lozeau :

– « *Avez-vous le D40 de Nikon ?* »

– « *Oui.* »

– « *Combien ?* »

– « *580 $.* »

Alors qu'au Québec tout coûte généralement plus cher à cause des taxes abondantes, dans ce cas, c'est le contraire. Est-ce à cause des pétrodollars qu'en Libye les prix sont plus élevés ? Il faut croire que je n'ai pas suffisamment négocié ! Et pour mon vieux Nikon ? Je finirai par le vendre… pour presque rien.

❖

Au départ de Tripoli, à l'aéroport international, nous subissons un énorme retard. Aucun avion n'atterrit ni ne décolle. Qu'est-ce qui se passe ? Nous avons nos billets, nos cartons d'embarquement, mais pas moyen de quitter l'aérogare. On nous apprend que le colonel-président, le général Kadhafi, qui s'autoproclame chef et guide de la Révolution, doit atterrir d'un instant à l'autre en provenance de l'Espagne. Il est allé en France auparavant et, au nom de ses principes religieux, il a mis sa tente dans le parc de l'*Hôtel Marigny*. Tout un brassage médiatique ! Lors de ce voyage, il devait acheter 23 avions Rafale et Mirage. La transaction n'a jamais été conclue. Comme il revenait sans aucun contrat en poche, alors, il est sans doute allé acheter des olives en Espagne…

L'aéroport est fermé pour accueillir le Frère guide et les retards s'accumulent.

Durant cette attente interminable, nous faisons la connaissance d'une hôtesse de l'air libyenne. Elle porte le foulard. Nous conversons. Comme elle a une belle personnalité, qu'elle est sympathique, je prends une photo d'elle. À quelques pas de nous arrive un couple. La femme est habillée de noir, comme mes fameuses « corneilles ». Ses beaux yeux maquillés n'ont que quelques centimètres d'ouverture vers l'extérieur… Elle tient son jeune mari par le bras. Ils ont entre dix-neuf et vingt ans. Décidément, il n'y a pas d'âge pour devenir ultrareligieux. Je dis à l'hôtesse :

– « *Comment se fait-il que dans un pays aussi évolué que le vôtre, il y ait des gens si pratiquants ? Cette jeune femme a l'air toute jeune.* »

– « *Elle vient de très loin, des villages dans le désert, sans doute…* »

– « *Est-ce possible de demander à son mari si je peux photographier sa femme ?* »

L'hôtesse traduit ma demande et le mari accepte. J'en suis presque étonné ! Cela aura été le dernier petit échange en sol libyen avec des gens de l'arrière-pays, ceux que j'ai côtoyés dans le désert.

Par cette photo, j'ai le sentiment de m'être un peu repris pour l'impair que j'ai commis en Mauritanie. Vous vous souvenez ? Dans la tente du grand Berbère, celui que j'ai offusqué en voulant à tout prix le photographier en compagnie de ses quatre femmes. Cette photographie interdite aurait été un chef-d'œuvre de la culture berbère dans toute sa beauté. Jamais je ne me pardonnerai cette erreur de jugement qui m'a privé de cette image fabuleuse. Mais, mon objectif a tout de même capturé une jeune « corneille » libyenne dont le mari a été plus conciliant que le grand Berbère.

Après toute cette attente, le Guide de la Révolution atterrit. Au loin, nous le voyons descendre de l'avion. Toute sa garde prétorienne l'attend en rang d'oignons. Kadhafi et sa suite descendent d'un avion 747 qu'il a affrété. Finalement l'aéroport rouvre et nous pouvons nous envoler vers Montréal, via Paris.

J'aurai eu le privilège d'apercevoir ce bonhomme fièrement vêtu de sa robe brune traditionnelle, saluant tout son monde. C'était le retour d'une tournée de rencontres internationales infructueuses. Il revenait bredouille, sans ses avions français, peut-être victime d'un « Mirage », comme il arrive parfois aux Berbères du désert libyen. Les « Mirages » de Kadhafi ? Volatilisés !

Postface

Ce que j'ai vu à temps

Depuis décembre 2010, avec la Tunisie, qui a connu sa Révolution de jasmin, le Maghreb est en ébullition. L'Algérie a vite réprimé ses manifestations. Le Maroc a été secoué par quelques rassemblements publics, des marches de protestation, mais les assouplissements accordés par le roi à son peuple semblent avoir quelque peu stabilisé la situation… La Mauritanie paraît épargnée par le mouvement de contestation. Au cours des mois, ces bouleversements sociaux et politiques se sont déplacés vers le Proche-Orient, en passant par l'Égypte, gagnant la Jordanie et la Syrie. Des pays de la péninsule arabique, notamment le Yémen, s'embrassent. La grogne populaire gagne du terrain.

Toutefois, c'est en Libye que les choses se passent laborieusement. Ce pays bascule dans une guerre civile où les Occidentaux se sont invités. La Libye n'était déjà pas très ouverte au tourisme. Il faudra des années avant que des visiteurs y remettent les pieds. C'est malheureux, car elle possède trois des plus beaux sites archéologiques au monde.

Il est difficile de prédire où toutes ces turbulences politiques mèneront ces nations. Tout dépendra des régimes qui vont s'y installer. Est-ce que ce seront des gouvernements sociaux-démocrates qui s'ouvriront au capitalisme, aux échanges et au tourisme ? Ou, au contraire, des groupes intégristes qui refermeront chacun de ces États sur lui-même? Il est beaucoup trop tôt pour le dire.

Bien entendu, les dirigeants se servaient allégrement dans les coffres du peuple tout en maintenant des formes de dictature. Toutefois, dans la plupart des cas, ils apportaient l'ordre et la stabilité là où l'anarchie était trop présente. Si ces révolutions apportent le bien-être, la liberté et la prospérité, tant mieux. Il faut seulement espérer que les Frères musulmans, Al-Qaïda ou Téhéran, qui souhaitent exporter leur révolution islamique, ne sont pas derrière ces protestations.

Après ce Printemps arabe, le Maghreb ne sera plus jamais le même. Il risque de s'occidentaliser, de se mondialiser et, malheureusement de s'américaniser, ou encore de s'isoler du reste du monde. Lors de mon passage en Libye, j'ai observé son virage vers la modernité au détriment de plusieurs de ses traditions. Quand la paix reviendra, qu'en sera-t-il ?

Je suis content d'avoir pu vivre dans les conditions traditionnelles de ces peuples millénaires. Les caravanes de dromadaires, les nuits dans le désert, les souks, les médinas, la musique envoûtante. Bien sûr, il en restera quelque chose. Mais ce quelque chose sera-t-il authentique ou seulement un genre de reconstitution historique, un Disney World arabisant ? Je suis donc satisfait d'avoir pu approcher cette authenticité et cette réalité. Je suis heureux d'avoir pu côtoyer ces gens qui perpétuaient leurs traditions millénaires. Je n'ai pas toujours pu communiquer avec eux, mais les simples faits de les voir, de partager leur repas, de dormir dans les mêmes conditions qu'eux m'ont permis de les apprécier, d'apprendre à les aimer.

Comme je l'ai dit au début de ce livre, le Maghreb aura été mon plus grand choc culturel. Il m'a poussé vers d'autres contrées lointaines. Il m'a ouvert les portes du monde !

Au fur et à mesure de mes voyages, j'ai aussi pris conscience que des peuples, des tribus, des traditions millénaires étaient en train de disparaître sous les coups de butoir de la mondialisation. J'ai donc cherché à me rendre dans le plus grand nombre possible d'endroits, en repoussant de plus en plus les limites, pour atteindre ces gens en voie de disparition culturelle. J'ai à ce jour rencontré plus de 13 sociétés tribales de par le monde.

Jusqu'à il y a tout récemment j'ignorais, même si je sentais que le processus était déjà enclenché, que le Maghreb que j'aime, subirait des bouleversements aussi profonds.

Oui, je suis intimement persuadé que, ce que j'ai vu dans le Maghreb depuis 1969, je l'ai vu à temps ! J'espère l'avoir partagé avec vous. À partir de maintenant, le Maghreb ne sera plus jamais pareil.

FIN

Les calepins des aventuriers

Récit de voyage

16 pays, 3 mois, 1 sou – Billy Rioux

Beurre de yak et yeux bridés – Annick St-Pierre

Compostelle, le chemin de la sérénité – André Raymond

De Terre-Neuve à la Terre de Feu – Jadrino Huot

En route vers l'Alaska – Billy Rioux

Globe-trotter perdu sur Terre – Jadrino Huot

La Floride insolite – Lucie-Soleil Ouellet et James McInnes

La France au bout des pieds – Monique Fortier

La ruée vers l'or du Klondike – Billy Rioux

Le Magbreb de Gilles Proulx – Cilles Proulx

L'Inde, pays des extrêmes – Michel Bachant

Notre grande ViRée – Lucie-Soleil Ouellet et James McInnes

Mali, terre des hommes – Éric Bertrand

Mes errances – Daniel Vigneau

Rouler au cœur du monde – René Ouellet

Sur l'autre Chemin – Daniel Vigneau

Sur les traces des chevaliers de Malte – Billy Rioux

Tableaux du monde – Sonia Mondor et Pierre Séguin

Trekking au pays des Dogons – Éric Bertrand

Un monde de différences – Stéphane Boyer

Vélo blues – Daniel Berthiaume

Voyages hors du temps – Jacques Bourbeau

Marquis imprimeur inc.

Québec, Canada
2011

Imprimé sur du papier Silva Enviro 100% postconsommation
traité sans chlore, accrédité ÉcoLogo et fait à partir de biogaz.